DESSERTS SANTÉ

pour dents sucrées

—— 2 ——

ANNIK **DE CELLES** ● ANDRÉANNE **MARTIN**, DT.P.

DESSERTS SANTÉ

pour dents sucrées

2

48 nouvelles recettes
à base de légumes

TRÉCARRÉ

Une société de Québecor Média

Catalogage avant publication de Bibliothèque et Archives nationales du Québec et Bibliothèque et Archives Canada

De Celles, Annik
    Desserts santé pour dents sucrées
    Comprend un index.
    Sommaire : 2. 48 nouvelles recettes à base de légumes.
    ISBN 978-2-89568-616-3 (v. 2)
    1. Desserts. 2. Cuisine (Légumes). 3. Livres de cuisine. I. Martin, Andréanne, 1987-   . II. Titre.

TX773.D42 2012   641.86   C2012-941218-X

Édition : Lison Lescarbeau
Direction littéraire : Marie-Eve Gélinas
Direction artistique : Clémence Beaudoin
Révision linguistique : Nicole Henri
Correction d'épreuves : Catherine Fournier
Photos : Sarah Scott
Photo de Joël Legendre : Radio-Canada
Couverture, grille graphique intérieure et mise en pages : Clémence Beaudoin
Stylisme culinaire : Anne Gagné
Stylisme accessoires : Gabrielle Dalessandro
Préparation des recettes : Marie-Josée Morin et Chantal Arcand

Remerciements
Nous reconnaissons l'aide financière du gouvernement du Canada par l'entremise du Fonds du livre du Canada pour nos activités d'édition.
Gouvernement du Québec – Programme de crédit d'impôt pour l'édition de livres – gestion SODEC.

Les Éditions du Trécarré
Groupe Librex inc.
Une société de Québecor Média
La Tourelle
1055, boul. René-Lévesque Est
Bureau 300
Montréal (Québec) H2L 4S5
Tél. : 514 849-5259
Téléc. : 514 849-1388
www.edtrecarre.com

Dépôt légal – Bibliothèque et Archives nationales du Québec et Bibliothèque et Archives Canada, 2013

ISBN : 978-2-89568-616-3

Distribution au Canada
Messageries ADP
2315, rue de la Province
Longueuil (Québec) J4G 1G4
Tél. : 450 640-1234
Sans frais : 1 800 771-3022
www.messageries-adp.com

Diffusion hors Canada
Interforum
Immeuble Paryseine
3, allée de la Seine
F-94854 Ivry-sur-Seine Cedex
Tél. : 33 (0)1 49 59 10 10
www.interforum.fr

À NICOLAS, WILLIAM, LILY ET ROSIE... 8888 !

– Annik

À VOUS TOUS QUE J'AIME ET PORTE DANS MON CŒUR !

– Andréanne

• SOMMAIRE •

PRÉFACE

Végétarien depuis trente ans, j'ai toujours pensé que l'alimentation était une question d'équilibre. En tant que porte-parole d'Expo Manger santé et vivre vert depuis 2008, je tente de transmettre le plaisir de bien manger en montrant qu'alimentation saine et mets savoureux ne font qu'un !

La santé, c'est une affaire de famille. J'ai reçu très jeune cet apprentissage. Je me rappelle encore ces journées que je passais avec mes grands-parents à les aider dans leur jardin. J'ai moi-même grandi dans une ferme, ayant sous les yeux l'exemple de ma mère, qui était très attentive à notre santé, et de mon père, un passionné des marathons. C'est aussi d'eux que je tiens mon hygiène de vie, sans tabac et sans alcool.

Pour moi, bien s'alimenter est un investissement à long terme, un investissement sur ma santé et sur mon bien-être. Les bienfaits de cette habitude ne sont plus à prouver. Je remarque d'ailleurs avec plaisir que la sensibilisation à ce sujet se fait de mieux en mieux.

J'ai eu le plaisir de rencontrer Annik De Celles durant le tournage d'*Alors on jase !* en décembre 2012 et de goûter à quelques-unes de ses savoureuses (et surprenantes !) recettes. Je la félicite pour l'originalité de sa démarche et, surtout, pour son succès renversant. En effet, partant du constat qu'il est primordial de bien se nourrir mais que ce n'est pas toujours facile, surtout quand on aime le sucré, Annik a trouvé une solution intéressante : glisser en douce des légumes dans les desserts. Ses recettes simples, rapides et faciles à cuisiner permettent de déguster des desserts à la fois alléchants et nutritifs – et d'en redemander !

Le côté unique des recettes d'Annik et sa créativité débordante ont abouti à ce deuxième livre et nous en font déjà espérer un troisième. C'est donc avec un grand plaisir que je vous présente cet ouvrage, qui, je l'espère, vous donnera le goût de contenter votre dent sucrée en toute liberté !

Joël Legendre

INTRODUCTION

Parfois, face à l'adversité, on tend à se résigner : « C'est la vie… »

En 2009, à la suite d'un diagnostic de diabète de grossesse, j'ai vu ma vie bouleversée. Le désir de garder mon bébé et moi-même en santé m'a motivée, à trente-cinq ans, à changer mes habitudes, dont ma consommation de desserts.

Pour moi, cuisiner des gâteaux et des biscuits, c'est une thérapie. Me priver de dessert me semblait donc terrifiant ! Ma nutritionniste a trouvé, à la blague, la solution : concocter des desserts… à base de légumes !

C'est ainsi que j'ai réinventé mes desserts favoris en diminuant les quantités de gras et de sucre dans mes recettes. Une tâche difficile, me direz-vous ? Oui, il y a eu quelques, voire plusieurs ratés, mais à travers mes expérimentations, j'ai redécouvert ma passion pour la cuisine.

Quatre ans et 50 livres en moins plus tard, je me sens vivante et heureuse. Course à pied, hot yoga, spinning et alimentation saine sont maintenant bien ancrés dans mes habitudes de vie.

Finalement, mes problèmes de santé ont été le début d'une belle histoire puisque, en plus d'être propriétaire d'une petite compagnie qui produit et vend de délicieux desserts santé (Créations Les Gumes), j'ai maintenant le plaisir de partager mes découvertes culinaires avec vous ! Et ça, c'est la vie !

Annik De Celles
Maman en chef, Créations Les Gumes

MOT DE LA NUTRITIONNISTE

Les notions en nutrition évoluent à la vitesse grand V. Voilà pourquoi, au sein de mon équipe NutriSimple, nous avons recruté des diététistes-nutritionnistes chargées de ratisser les dernières données scientifiques afin que nous soyons des leaders dans notre domaine et encore mieux outillés pour aider nos clients.

Le fabuleux succès du tome 1 de *Desserts santé pour dents sucrées* nous a incitées, Annik et moi, à écrire ce tome 2 afin de continuer à répondre aux préoccupations alimentaires de la population qui souhaite faire des choix santé. Retrouver le plaisir du goût sucré tout en limitant les sucres rapides, en augmentant la sensation de satiété par l'apport accru de fibres et de protéines, en ajoutant vitamines et minéraux au dessert, en limitant le gluten et les produits laitiers dans certaines recettes pour faire face aux intolérances de plus en plus fréquentes... c'était là notre défi, relevé avec succès !

Plusieurs desserts présentés dans ce livre peuvent également être consommés au moment de la collation, compte tenu de leur quantité intéressante de protéines et de fibres. Quant au choix des sucres, des gras et des farines utilisés lors de la confection de vos desserts maison, voici quelques précisions.

L'IMPORTANCE DU CHOIX DES INGRÉDIENTS

Diminuer les quantités de sucre et de gras de la recette originale en remplaçant certains ingrédients par des légumes a été une idée novatrice d'Annik De Celles. Les critères pour le choix des farines, des gras et des sucres s'avèrent donc importants afin de rendre hommage aux aspects santé et plaisir que l'on confère à nos desserts.

Farine
Préférez : farine de grains entiers (sarrasin, quinoa, épeautre, kamut, blé entier, avoine, tapioca, etc.)
Limitez : farine de maïs, farine de riz
Évitez : farine raffinée (farine blanche)

Gras (pour la cuisson au four)

Préférez : huile de canola

Limitez : margarine non hydrogénée, huile d'olive

Évitez : beurre, graisses végétales, saindoux, margarine hydrogénée

Sucre

Préférez : sirop d'érable, sucanat, miel (ou diminuez la quantité demandée en remplaçant une partie de ceux-ci par des purées de légumes ou de dattes)

Limitez : cassonade, mélasse, stévia

Évitez : sucre de table, sucralose, aspartame, fructose

LES CALORIES

La plupart des desserts de ce livre contiennent plus de fibres et de protéines, et donc parfois plus de calories, que leurs homologues commerciaux. Il est cependant très important de comprendre qu'un grand nombre de calories, lorsqu'elles sont présentes sous forme de fibres et de protéines, n'est pas alarmant puisque cela permet de consommer moins, pour un plus grand apport nutritionnel. La satiété est donc favorisée par les aliments qui contiennent ces deux éléments nutritifs, et il est important de respecter ces signaux corporels que sont la faim et la satiété, même si l'aliment consommé est dit « santé ».

SUCRES RAPIDES, SUCRES COMPLEXES ET « PAS »

Dans les dernières années, on s'est beaucoup attardé aux gras, croyant qu'il s'agissait de l'élément à blâmer dans un contexte d'épidémie d'obésité et d'augmentation des maladies chroniques. Or, malgré la diminution des matières grasses dans les produits vendus et l'offre accrue de produits allégés, le pourcentage de personnes affectées par un surplus de poids et/ou par une maladie chronique a continué d'augmenter. Au banc des coupables, on trouve maintenant également le sucre.

Il ne s'agit pas que du sucre contenu dans les sucreries, mais bien de toutes les sources de sucres rapides. Parmi les glucides, il y a des sources de sucre rapide et des sources de sucre complexe. Ce sont les sucres rapides que l'on pointe du doigt, car ils empêchent la stabilisation du taux de sucre sanguin et conduisent à une production massive d'insuline, une augmentation des réserves en gras abdominal, un accroissement des phénomènes inflammatoires, de l'insomnie, des rages de sucre ainsi qu'un manque d'énergie.

Chez NutriSimple, les sucres rapides ont été regroupés sous l'acronyme PAS (pains, aliments farineux et alcool, sucres). Notre approche soutient qu'il n'y a PAS d'interdit et PAS de culpabilité, et préconise une saine gestion de la qualité, de la fréquence et de la quantité des PAS consommés. Pour vous aider à faire vos choix, la quantité de sucres rapides contenue dans les recettes de ce livre est indiquée en PAS dans les tableaux de valeurs nutritives. Finalement, c'est la quantité totale de glucides moins les fibres qui influence la glycémie. Il faut se rappeler que 1 PAS correspond à 15 g de glucides rapides.

Garnissez donc vos repas, vos collations et vos desserts d'aliments à faible teneur en PAS : légumes, fruits, produits laitiers ou substituts version nature, noix et beurre de noix, légumineuses, avocat, viande, poisson, sarrasin, quinoa, patate douce, courge, son d'avoine et germe de blé, notamment.

LE « SANS GLUTEN »

On dénote dans notre société une préoccupation grandissante à l'égard de la saine alimentation et, depuis quelques années, un courant alimentaire est en train de s'installer : le « sans gluten ». Les personnes réellement atteintes d'une allergie au gluten doivent impérativement consulter une diététiste-nutritionniste pour connaître toutes les facettes de cette allergie et les traces possibles et non identifiées contenues dans plusieurs aliments. Les mentions « sans gluten » insérées dans ce livre ne garantissent pas à 100 % son absence. Vous devez, par conséquent, vous procurer les marques adéquates et surveiller la contamination croisée, ce que vous mentionnera votre nutritionniste.

N'oubliez pas que changer ses habitudes alimentaires se fait à long terme et qu'il est nécessaire d'y inclure une bonne tasse de plaisir, plusieurs gouttes d'extrait d'amour et environ 90 g de simplicité !

Bonne dégustation !

Andréanne Martin, Dt.P.
Diététiste-nutritionniste
Chef d'équipe et directrice au développement
pour la région de Québec chez NutriSimple

FOIRE AUX QUESTIONS

Combien de temps puis-je conserver mes desserts aux légumes ?

Tous les desserts se conservent entre 5 et 7 jours au réfrigérateur, dans un contenant hermétique.

Vous désirez faire des réserves ? Placez vos délicieux desserts au congélateur. Ils se conserveront de 3 à 6 mois dans un contenant hermétique.

Mes biscuits ou mon gâteau semblent mous. Manquent-ils de cuisson ?

La cuisson des desserts peut varier d'un four à l'autre. Le temps de cuisson est calculé pour un four ordinaire. Un four à convection peut accélérer la cuisson.

De plus, selon le taux d'humidité de la purée utilisée, le dessert peut mettre un peu plus de temps à cuire. Il est donc important de s'assurer que les biscuits ou les gâteaux sont fermes, secs et croustillants sur le dessus, ou qu'un cure-dent inséré au centre en res-sort propre afin de déterminer s'ils sont bien cuits.

Puis-je remplacer la farine de blé entier par un autre type de farine ?

Oui, il est possible de substituer un autre type de farine à la farine de blé entier, mais cela affectera la texture de votre dessert. Si vous utilisez une farine sans gluten simple (une seule sorte), les biscuits et les gâteaux s'effri-teront. On trouve, sur le marché, des farines prémélangées sans gluten. Toutefois, les résultats peuvent être différents de la recette d'origine.

Un truc pour l'utilisation des farines sans gluten : tamisez-les et ajoutez 1 c. à thé de gomme de guar ou de xanthane pour chaque tasse de farine. Pour des recettes de biscuits, de galettes et de muffins, utilisez de la farine de quinoa ou de sarrasin, qui n'a pas la propriété de bien lever.

Peler ou ne pas peler l'aubergine ?

Il n'est pas nécessaire de peler l'aubergine avant de la cuire et de la réduire en purée. Il suffit de la couper en dés et de la faire cuire à la vapeur jusqu'à ce qu'elle soit translucide et molle.

Ma purée de champignons est trop liquide ! Que faire ?

Il faut bien essorer la purée de champignons afin de retirer le plus d'eau possible.

Si vous êtes un adepte de la cuisson au micro-ondes, vous pouvez y faire cuire les champignons dans un plat contenant un peu d'eau (½ tasse pour 300 g de champignons coupés). Recouvrez-le d'une pellicule plastique. Faites cuire 3 à 4 minutes à haute intensité. Laissez refroidir. Égouttez et pressez les champignons afin de retirer le plus d'eau possible. Réduisez ensuite les champignons en purée.

Mes biscuits ou gâteaux ne lèvent pas ! Que se passe-t-il ?

Oh… gâteaux et biscuits restent plats ? La plupart du temps, le problème se situe du côté de la poudre à pâte et du bicarbonate de soude. Si vous avez ces ingrédients depuis longtemps dans votre armoire, il se peut qu'ils aient perdu de leur efficacité. Il est donc préférable d'acheter de plus petits contenants plus souvent !

Je n'ai pas le moule requis. Puis-je faire la recette dans un autre format de moule ?

Bien sûr ! Assurez-vous seulement de bien ajuster le temps de cuisson.

Comment procéder pour faire des purées de fèves rouges, pois chiches et autres légumineuses sans qu'elles soient trop salées ?

Si vous achetez les légumineuses en conserve, il faut bien les rincer plusieurs fois.

Je n'ai pas le légume demandé dans la recette, puis-je le remplacer par de la purée d'un autre légume ?

Oui ! Le résultat ne sera pas exactement le même, mais il est possible de faire des remplacements.

Voici quelques équivalences :
– patate douce, carotte, courge, citrouille ;
– brocoli, chou-fleur, chou.

Il est écrit d'utiliser 1 aubergine moyenne pour ½ tasse de purée, mais une fois cuite et en purée, j'obtiens 1 tasse. Quelle quantité utiliser ?

Vous devez toujours utiliser la quantité indiquée en tasses ; si vous obtenez plus de purée, mettez-la au congélateur pour la prochaine recette !

Il y a du sucre ajouté dans les recettes. Est-ce normal ?

Oui. Le sucre ne peut être enlevé complètement, car il y aurait un problème de texture. Toutefois, si vous désirez supprimer complètement le sucre, vous pouvez le remplacer par une purée de dattes, par exemple. Sachez cependant que la texture obtenue ne sera pas la même.

Je suis diabétique et je trouve qu'il y a encore beaucoup de glucides dans vos recettes. Que dois-je en comprendre ?

N'oubliez pas que les glucides inscrits proviennent autant des farines, du sucre et du chocolat que des légumes, des fruits et des produits laitiers ou substituts. Malgré une quantité plus imposante de glucides totaux, les glucides rapides sont diminués. Vous pouvez les comptabiliser par le nombre de PAS* inscrit dans la table de valeur nutritive, sachant que 1 PAS = 15 g de sucres rapides.

* Pour les clients NutriSimple (voir explication p. 16).

PRÉPARATION DES PURÉES DE LÉGUMES

	Préparation initiale	Cuisson	Préparation finale
AUBERGINE	Ne pas peler, couper la tige verte, couper en tranches puis en dés.	Faire bouillir ou cuire à la vapeur jusqu'à ce que la pointe d'un couteau passe facilement à travers les morceaux plus charnus.	Retirer l'eau de cuisson et passer en purée.
AVOCAT	Couper en deux, enlever le noyau et la pelure.	Aucune	Passer en purée.
BETTERAVE CAROTTE CÉLERI-RAVE	Peler et couper en dés.	Faire bouillir ou cuire à la vapeur jusqu'à ce que la pointe d'un couteau passe facilement à travers les morceaux plus charnus.	Retirer l'eau de cuisson et passer en purée.
BROCOLI CHOU-FLEUR	Couper en fleurettes.	Faire bouillir ou cuire à la vapeur jusqu'à ce que la pointe d'un couteau passe facilement à travers la tige.	Retirer l'eau de cuisson et passer en purée.
CHAMPIGNONS	Nettoyer et couper en quatre.	Faire bouillir ou cuire à la vapeur jusqu'à ce que les champignons aient diminué de quatre fois leur grosseur, ou cuire au micro-ondes 5 à 8 min à haute intensité dans un bol avec un peu d'eau (pour recouvrir de moitié les champignons) recouvert d'une pellicule plastique.	Retirer l'eau de cuisson et passer en purée.
CHOU	Couper en dés.	Faire bouillir ou cuire à la vapeur jusqu'à ce que la pointe d'un couteau passe facilement à travers les morceaux plus charnus.	Retirer l'eau de cuisson et passer en purée.
CHOUX DE BRUXELLES	Couper en deux.	Faire bouillir ou cuire à la vapeur environ 7 à 10 min.	Retirer l'eau de cuisson et passer en purée.

	Préparation initiale	Cuisson	Préparation finale
CITROUILLE COURGE	Couper en deux. Épépiner. Dans un plat allant au four, ajouter de l'eau pour recouvrir le fond, y placer les deux morceaux chair vers le bas et recouvrir d'un papier d'aluminium.	Cuire au four à 350 ºF (175 ºC) jusqu'à ce que la chair soit tendre.	Retirer la chair à l'aide d'une cuillère. Passer en purée.
ÉPINARDS	Aucune	Plonger dans l'eau bouillante environ 3 min afin que les épinards se flétrissent.	Retirer de l'eau et passer en purée.
HARICOTS EN CONSERVE	Bien rincer.	Aucune	Passer en purée.
HARICOTS VERTS	Enlever la tige.	Faire bouillir ou cuire à la vapeur jusqu'à ce que la pointe d'un couteau passe facilement à travers les morceaux plus charnus.	Retirer l'eau de cuisson et passer en purée.
MACÉDOINE SURGELÉE	Aucune	Faire bouillir ou cuire à la vapeur jusqu'à ce que la pointe d'un couteau passe facilement à travers les morceaux plus charnus.	Retirer l'eau de cuisson et passer en purée.
PANAIS	Peler, couper en tranches.	Faire bouillir ou cuire à la vapeur jusqu'à ce que la pointe d'un couteau passe facilement à travers les morceaux plus charnus.	Retirer l'eau de cuisson et passer en purée.
PATATE DOUCE	Peler, couper en dés.	Faire bouillir ou cuire à la vapeur jusqu'à ce que la pointe d'un couteau passe facilement à travers les morceaux plus charnus.	Retirer l'eau de cuisson et passer en purée.
PETITS POIS SURGELÉS	Aucune	Faire bouillir ou cuire à la vapeur environ 5 min.	Retirer l'eau de cuisson et passer en purée.
TOMATES EN CONSERVE	Aucune si vous utilisez des tomates broyées sans sel ou épices ajoutés (bien regarder la liste des ingrédients).	Aucune	Passer en purée.

1

BISCUITS
ET
GALETTES

MOT DE LA NUTRITIONNISTE

La mention « sans gluten » ne s'associe pas automatiquement à « meilleur pour la santé ». Comme tout autre produit vendu, il faut bien lire les étiquettes nutritionnelles afin de faire un choix éclairé. Par exemple, la farine de maïs n'est pas meilleure pour la santé que la farine d'avoine du simple fait qu'elle est sans gluten. Chaque farine possède ses propriétés nutritionnelles, qu'elle contienne du gluten ou non.

BISCUITS FRIGO BROCO-CERISES

(SANS GLUTEN)

═══════════ ❊ ═══════════

De superbes biscuits colorés, toujours prêts pour la visite à l'improviste !

36 biscuits

½ **tasse** de purée de patate douce (utiliser 1 patate douce moyenne)	1 œuf
½ **tasse** de purée de brocoli (utiliser 1 tasse de brocoli, en fleurettes)	3 **tasses** de farine de riz brun
2 c. à **soupe** de margarine non hydrogénée	1 c. à **thé** de poudre à pâte
¼ **tasse** de sucre	¼ **tasse** de fécule de maïs
¼ **tasse** de cassonade	3 c. à **thé** d'extrait de vanille
	¼ **tasse** de cerises confites (rouges et/ou vertes), coupées en dés

VALEURS NUTRITIVES		Par portion
CALORIES	3035	84
LIPIDES (G)	43	1
GLUCIDES (G)	609	17
PROTÉINES (G)	51	1
FIBRES (G)	33	1
CALCIUM (MG)	608	17
FER (MG)	15	0
SODIUM (MG)	878	24
PAS*	34	0,9

* Pour les clients NutriSimple

Mélanger tous les ingrédients afin de former une pâte.

Façonner un billot d'environ 2 po de diamètre et l'emballer dans de la pellicule plastique.

Placer au congélateur 12 h au minimum.

Au moment de cuire, couper la pâte congelée en tranches de ¼ po d'épaisseur.

Préchauffer le four à 350 °F (175 °C).

Déposer les tranches sur un papier parchemin.

Cuire 8 à 10 min.

BISCUITS FROMAGIGNON

─────── ◦)|(◦ ───────

Une recette surprenante que vous ferez et referez !

24 biscuits

¾ **tasse** de purée de champignons blancs
(utiliser 1 ½ tasse de champignons, en dés)

½ **tasse** de fromage à la crème léger

¼ **tasse** de sucre

1 **tasse** de farine de blé entier
(ou farine mélangée sans gluten)

2 **c. à thé** de poudre à pâte

1 **tasse** de noisettes ou noix moulues

½ **tasse** d'amandes moulues

Sucre à glacer

Préchauffer le four à 350 °F (175 °C).

Dans un grand bol, mélanger la purée de champignons, le fromage à la crème et le sucre.

Dans un second bol, mélanger la farine, la poudre à pâte, les noisettes et les amandes moulues.

Ajouter le contenu du second bol à celui du premier et bien brasser.

Former des boules de pâte d'environ 1 c. à soupe.

Rouler les boules dans le sucre à glacer et les placer sur une plaque à biscuits recouverte de papier parchemin.

Cuire au four 8 à 10 min ou jusqu'à ce que les biscuits soient solides et légèrement dorés.

Saupoudrer de sucre à glacer avant de servir.

VALEURS NUTRITIVES		Par portion
CALORIES	1892	79
LIPIDES (G)	99	4
GLUCIDES (G)	219	9
PROTÉINES (G)	59	2
FIBRES (G)	35	1
CALCIUM (MG)	1107	46
FER (MG)	18	1
SODIUM (MG)	1128	47
PAS*	9,2	0,4

* Pour les clients NutriSimple

MOT DE LA
NUTRITIONNISTE

On croit parfois que le champignon,
n'ayant pas beaucoup de pigments colorés,
n'a pas une valeur nutritive intéressante. Certes,
il ne contient pas un taux élevé d'antioxydants
et son contenu en eau en dilue les composés.
Toutefois, les champignons renferment une
quantité appréciable de fibres insolubles
qui contribuent à assurer le bon
mouvement de l'intestin.

BISCUITS CANNELLICOT

———— ·))·((————

Une version « légumes » du classique biscuit américain Snickerdoodle.
Simple, rapide et idéal à faire en famille !

24 biscuits

2 c. à soupe de purée de patate douce
(utiliser ¼ tasse de patates douces, en dés)

¼ tasse de purée de haricots verts
(utiliser ½ tasse de haricots verts)

3 c. à soupe de margarine non hydrogénée

1 œuf

⅓ tasse + 2 c. à soupe de sucre

1 ¼ tasse de farine de blé entier
(ou farine mélangée sans gluten)

½ c. à thé de bicarbonate de soude

½ c. à thé de crème de tartre

¼ c. à thé de sel

½ c. à thé de cannelle

VALEURS NUTRITIVES		Par portion
CALORIES	1346	56
LIPIDES (G)	43	2
GLUCIDES (G)	224	9
PROTÉINES (G)	30	1
FIBRES (G)	23	1
CALCIUM (MG)	154	1
FER (MG)	8	0
SODIUM (MG)	1788	75
PAS*	12,8	0,5

* Pour les clients NutriSimple

Préchauffer le four à 375 °F (190 °C).

Dans un grand bol, mélanger les légumes en purée, la margarine, l'œuf et ⅓ tasse de sucre.

Dans un second bol, combiner la farine, le bicarbonate de soude, la crème de tartre et le sel.

Ajouter le mélange de farine à la préparation de légumes et bien brasser.

Mélanger le sucre restant et la cannelle dans un petit bol.

Rouler les boules de pâte dans le mélange de sucre et de cannelle.

Déposer sur une plaque à biscuits recouverte de papier parchemin.

Cuire au four 8 à 10 min ou jusqu'à ce que les biscuits soient légèrement dorés.

BISCUITS BANANE
ET CHOCOLAT

Un mélange classique réinventé.

24 biscuits

1 ¼ **tasse** de carottes, râpées

1 avocat, en purée

1 **c. à thé** d'extrait de vanille

1 œuf

¼ **tasse** de cassonade

1 banane mûre, en purée

¾ **tasse** de gruau

2 **c. à soupe** de graines de lin moulues

1 ½ **tasse** de farine de blé entier
(ou farine mélangée sans gluten)

¾ **c. à thé** de bicarbonate de soude

½ **c. à thé** de poudre à pâte

¼ **tasse** de pépites de chocolat

Préchauffer le four à 375 °F (190 °C).

Dans un bol, mélanger les carottes, la purée d'avocat, la vanille, l'œuf, la cassonade et la purée de banane.

Dans un second bol, mélanger les ingrédients secs (sauf les pépites de chocolat).

Incorporer les ingrédients secs à la préparation de légumes.

Ajouter les pépites de chocolat.

Former des biscuits avec environ 1 c. à soupe de pâte et les déposer sur une plaque recouverte de papier parchemin.

Cuire au centre du four 7 à 10 min ou jusqu'à ce que le dessus des biscuits soit légèrement doré.

VALEURS NUTRITIVES		Par portion
CALORIES	1904	79
LIPIDES (G)	55	2
GLUCIDES (G)	327	14
PROTÉINES (G)	53	2
FIBRES (G)	53	2
CALCIUM (MG)	511	21
FER (MG)	16	1
SODIUM (MG)	1365	57
PAS*	14,4	0,6

* Pour les clients NutriSimple

MOT DE LA NUTRITIONNISTE

Les légumes congelés sont cueillis à leur plein degré de maturation, puis surgelés sur-le-champ et congelés lors du transport. Ils conservent donc davantage leurs propriétés nutrition-nelles que les légumes frais. Profitez-en pour garnir votre congélateur, puisqu'ils regorgent de vitamines et de minéraux et sont beaucoup plus abordables !

VALEURS NUTRITIVES		Par portion
CALORIES	3248	90
LIPIDES (G)	97	3
GLUCIDES (G)	503	14
PROTÉINES (G)	117	3
FIBRES (G)	61	2
CALCIUM (MG)	972	27
FER (MG)	43	1
SODIUM (MG)	814	23
PAS*	22,7	0,6

* Pour les clients NutriSimple

BISCUITS AU GRUAU
BEAUX-BONS-PAS CHERS !
(SANS GLUTEN)

*Le nom dit tout ! Voici comment rendre le sac de macédoine
dans votre congélateur utile et délicieux !*

36 biscuits

4 ½ **tasses** de gruau

1 **tasse** de purée de macédoine
   (utiliser 2 tasses de macédoine surgelée)

¼ **tasse** de sucre

3 **c. à soupe** de cassonade

1 œuf

2 **c. à thé** d'extrait de vanille

1 **c. à soupe** de fécule de maïs

1 ½ **c. à thé** de poudre à pâte

¼ **tasse** de pépites de chocolat

¼ **tasse** de raisins secs

¼ **tasse** de graines de citrouille (facultatif)

Préchauffer le four à 350 °F (175 °C).

Passer 1 ½ tasse de gruau au robot culinaire pour en faire une poudre.

Dans un bol, mélanger la purée, le sucre, la cassonade, l'œuf et la vanille.

Dans un second bol, combiner le gruau en poudre, les 3 tasses restantes de gruau, la fécule de maïs et la poudre à pâte.

Incorporer les ingrédients secs à la préparation de légumes.

Ajouter les pépites de chocolat, les raisins et les graines de citrouille.

Former de gros biscuits avec environ 2 c. à soupe de pâte et les déposer sur une plaque recouverte de papier parchemin.

Cuire au centre du four 12 à 15 min ou jusqu'à ce que le dessus des biscuits soit légèrement doré.

BISCUITS BOULES COCO

Amateurs de noix de coco,
voici votre nouvelle recette préférée !

24 biscuits

1 tasse de purée de haricots et carottes
(utiliser 2 tasses de mélange haricots et carottes surgelé)

1 œuf

1 c. à soupe d'huile de canola

1 ½ tasse de noix de coco râpée sucrée

2 c. à soupe de sucre

2 c. à thé d'extrait de vanille

2 tasses de farine de blé entier
(ou farine mélangée sans gluten)

2 c. à thé de poudre à pâte

½ tasse de graines de lin moulues

Préchauffer le four à 350 °F (175 °C).

Dans un bol, mélanger la purée, l'œuf, l'huile, la noix de coco, le sucre et la vanille.

Dans un second bol, mélanger les ingrédients secs.

Incorporer les ingrédients secs à la préparation de légumes.

Former des boules avec environ 1 c. à soupe de pâte et les déposer sur une plaque recouverte de papier parchemin.

Cuire au centre du four 7 à 10 min ou jusqu'à ce que le dessus des biscuits soit légèrement doré.

VALEURS NUTRITIVES		Par portion
CALORIES	2453	102
LIPIDES (G)	112	5
GLUCIDES (G)	328	14
PROTÉINES (G)	64	3
FIBRES (G)	68	3
CALCIUM (MG)	1223	51
FER (MG)	20	1
SODIUM (MG)	1328	55
PAS*	9,6	0,4

* Pour les clients NutriSimple

MOT DE LA NUTRITIONNISTE

Il y a quelques années, on croyait que les gras provenant de la noix de coco étaient majoritairement saturés, et donc qu'on devait en limiter la consommation. Nous savons maintenant que la moitié des acides gras de la noix de coco proviennent de l'acide laurique, principal acide gras du lait maternel. Il aurait un impact favorable sur le cholestérol sanguin, augmentant le bon cholestérol.

SUPER GALETTES LEGUMESKI !

⸺ ✺ ⸺

Voici une recette inventée à la suite d'un défi entre la nutritionniste Andréanne Martin et la blogueuse Mériane Labrie (Madame Labriski) : pas de sucre ajouté, pas de gras et… du chou de Bruxelles !

12 galettes

1 tasse de purée de choux de Bruxelles (utiliser 2 ½ tasses de choux de Bruxelles surgelés, décongelés, non cuits)

½ tasse de carottes, râpées

1 tasse de purée de dattes (utiliser 1 tasse de dattes recouvertes d'eau, chauffées au micro-ondes 2 min)

3 tasses de gruau (sans gluten)

1 tasse de farine de blé entier (ou farine mélangée sans gluten)

2 c. à thé d'extrait de vanille

2 c. à thé de cannelle

1 c. à thé de bicarbonate de soude

½ tasse de graines de citrouille

½ tasse de canneberges séchées

Préchauffer le four à 350 °F (175 °C).

Mélanger tous les ingrédients dans un bol à l'aide d'une cuillère de bois.

Former 12 galettes et déposer sur une plaque recouverte de papier parchemin.

Cuire 10 à 12 min ou jusqu'à ce que les galettes soient grillées et se décollent facilement du papier.

MOT DE LA NUTRITIONNISTE

On parle de plus en plus des phénomènes inflammatoires pouvant être précurseurs des maladies cardio-vasculaires, du diabète de type 2, de l'obésité et de certaines maladies articulaires. Les choux de Bruxelles permettent entre autres de diminuer le taux sanguin d'homocystéine, molécule qui, en trop forte concentration, peut représenter un facteur de risque pour les maladies cardio-vasculaires.

VALEURS NUTRITIVES		Par portion
CALORIES	3673	306
LIPIDES (G)	125	10
GLUCIDES (G)	543	45
PROTÉINES (G)	156	13
FIBRES (G)	91	8
CALCIUM (MG)	556	46
FER (MG)	60	5
SODIUM (MG)	1434	120
PAS*	12	1

* Pour les clients NutriSimple

VALEURS NUTRITIVES		Par portion
CALORIES	1708	47
LIPIDES (G)	62	2
GLUCIDES (G)	255	7
PROTÉINES (G)	51	1
FIBRES (G)	33	1
CALCIUM (MG)	1161	32
FER (MG)	14	0
SODIUM (MG)	1008	28
PAS*	9,5	0,3

* Pour les clients NutriSimple

BISCUITS BROCO-ABRICOT

—))((—

Parfois, je trouve le nom d'une recette avant même d'inventer le biscuit. Abricot, brocoli... ça allait de soi !

36 biscuits

¾ **tasse** de purée de brocoli (utiliser 1 ½ tasse de brocoli)

½ **tasse** de purée de patate douce (utiliser 1 patate douce moyenne)

8 abricots séchés, coupés en dés

¼ **tasse** de pépites de chocolat blanc

1 œuf

⅔ **tasse** d'amandes effilées

2 c. à **soupe** de sucre fin

1 c. à **soupe** d'huile végétale

1 ⅓ **tasse** de farine de blé entier

2 c. à **thé** de poudre à pâte

2 c. à **thé** d'extrait de vanille

Sucre à gros cristaux

Mélanger tous les ingrédients (sauf le sucre à gros cristaux) afin de former une pâte.

Façonner la pâte en un billot d'environ 1 po de diamètre, le rouler dans le sucre à gros cristaux et l'emballer dans de la pellicule plastique.

Placer au congélateur 12 h au minimum.

Au moment de cuire, couper en tranches de ¼ po d'épaisseur.

Préchauffer le four à 350 °F (175 °C).

Déposer les tranches sur un papier parchemin.

Cuire 8 à 10 min.

BISCUITS CROUSTILLANTS AU BEURRE D'ARACHIDE

(SANS GLUTEN)

—•)(•—

Une délicieuse recette sans farine et une belle manière
d'introduire le quinoa dans l'alimentation familiale.

24 biscuits

¾ **tasse** de patates douces, râpées	
1 ½ **c. à soupe** de miel	
1 ½ **c. à soupe** de cassonade	
¼ **tasse** de quinoa, cuit et très bien essoré	
1 **c. à thé** d'extrait de vanille	
¼ **tasse** de beurre d'arachide	
1 œuf	
½ **tasse** d'arachides en morceaux	

Préchauffer le four à 375 °F (190 °C).

Dans un grand bol, bien mélanger tous les ingrédients.

Former des biscuits avec environ 1 c. à soupe de pâte et les déposer sur une plaque recouverte de papier parchemin.

Bien étendre la pâte afin de former des biscuits assez minces.

Cuire au centre du four 15 à 17 min ou jusqu'à ce qu'ils soient fermes et que le dessus soit légèrement doré.

MOT DE LA NUTRITIONNISTE

Le quinoa est en vogue ! En plus d'être sans gluten, il s'agit d'un glucide à absorption lente et donc d'une source d'énergie très intéressante. Il remplace bien le riz, la farine dans les béchamels ou les crêpes, et on peut l'utiliser dans plusieurs plats originaux (voir idées de recettes sur nutrisimple.com).

VALEURS NUTRITIVES		Par portion
CALORIES	1422	59
LIPIDES (G)	80	3
GLUCIDES (G)	144	6
PROTÉINES (G)	49	2
FIBRES (G)	19	1
CALCIUM (MG)	204	9
FER (MG)	9	0
SODIUM (MG)	163	7
PAS*	1,8	0,1

* Pour les clients NutriSimple

SAVIEZ-VOUS

que les sulfites sont
présents dans beaucoup
de fruits séchés du
commerce ? Prenez
quelques minutes pour
regarder la liste des
ingrédients et assurez-
vous que seuls les fruits
séchés y sont présents,
sans ajout d'huile,
de sulfites ou d'autres
additifs alimentaires.

FLORENTINS FLEURETTES

—)(((—

Une délicieuse gâterie croquante, un peu biscuit et beaucoup chocolat...
et, bien sûr, du brocoli et de la patate douce !

24 biscuits

⅔ **tasse** de purée de patate douce
(utiliser 2 tasses de patates douces, en dés)

½ **tasse** d'amandes effilées

½ **tasse** de pacanes

½ **tasse** de cerises ou de canneberges séchées

¼ **tasse** de cassonade

6 **c. à soupe** de farine de blé entier
(ou farine mélangée sans gluten)

1 ¼ **tasse** de pépites de chocolat

½ **tasse** de brocoli cru, haché
(utiliser 1 ½ tasse de fleurettes de brocoli cru, passées
au robot culinaire ou hachées très finement)

VALEURS NUTRITIVES		Par portion
CALORIES	2632	110
LIPIDES (G)	146	6
GLUCIDES (G)	350	15
PROTÉINES (G)	40	2
FIBRES (G)	34	1
CALCIUM (MG)	464	19
FER (MG)	17	1
SODIUM (MG)	137	6
PAS*	13	0,5

* Pour les clients NutriSimple

Préchauffer le four à 350 °F (175 °C).

Mélanger la purée de patate douce, les amandes, les pacanes, les cerises ou les canneberges, la cassonade et la farine.

Sur une plaque à biscuits recouverte d'un papier parchemin, déposer des cuillerées à soupe de mélange et bien étendre.

Cuire au centre du four 10 à 12 min ou jusqu'à ce que les biscuits soient dorés et croustillants.

Faire fondre le chocolat au micro-ondes ou au bain-marie. Ajouter le brocoli haché. Bien mélanger et étendre sur chaque biscuit.

Placer au réfrigérateur afin que le chocolat fige.

Conserver les biscuits au réfrigérateur ou au congélateur.

P'TITS PAINS D'ÉPICES
PLEINS DE PURÉE

═══════ ·)(· ═══════

Bonshommes, oursons, sapins et maisons en pain d'épices cachent si bien leurs légumes !
Ils feront la joie des petits et des grands qui les décoreront.

24 biscuits

2 c. à soupe de purée de citrouille
(utiliser ¼ tasse de citrouille, en dés)

2 c. à soupe de purée de brocoli
(utiliser ¼ tasse de brocoli, en fleurettes)

⅛ tasse de purée de tomate en conserve

⅛ tasse de mélasse

1 œuf

1 c. à soupe de margarine non hydrogénée

⅛ tasse de cassonade

1 ½ tasse de farine de blé entier

½ c. à soupe de piment de la Jamaïque moulu
(toute-épice)

½ c. à soupe de cannelle

½ c. à soupe de muscade

¼ c. à thé de bicarbonate de soude

Préchauffer le four à 350 °F (175 °C).

Dans un bol, mélanger les purées, la mélasse, l'œuf et la margarine.

Dans un second bol, combiner les ingrédients secs.

Incorporer les ingrédients secs au premier mélange.

Enfariner la surface de travail.

Rouler la pâte afin d'obtenir une épaisseur d'environ ½ po.

Découper la pâte à l'aide d'un emporte-pièce.

Déposer les biscuits sur un papier parchemin.

Cuire 8 à 10 min.

Laisser refroidir.

VALEURS NUTRITIVES		Par portion
CALORIES	1117	46
LIPIDES (G)	22	1
GLUCIDES (G)	211	9
PROTÉINES (G)	35	1
FIBRES (G)	28	1
CALCIUM (MG)	301	13
FER (MG)	13	1
SODIUM (MG)	603	25
PAS*	11,2	0,5

* Pour les clients NutriSimple

BISCUITS CHOUNOIX

———— ·)⊢(· ————

Une de mes recettes préférées de Jehane Benoît
en version revue et améliorée… saindoux en moins !

36 biscuits

1 tasse de purée de chou
(utiliser 2 tasses de chou, en dés)

2 c. à soupe d'huile de canola

½ tasse de sucre

1 œuf

1 c. à thé d'extrait de vanille

2 ½ tasses de farine de blé entier
(ou farine mélangée sans gluten)

1 c. à thé de poudre à pâte

¼ tasse de graines de lin moulues

½ tasse d'amandes effilées

VALEURS NUTRITIVES		Par portion
CALORIES	2527	70
LIPIDES (G)	93	3
GLUCIDES (G)	381	11
PROTÉINES (G)	77	2
FIBRES (G)	56	2
CALCIUM (MG)	1013	28
FER (MG)	21	1
SODIUM (MG)	530	15
PAS*	18,7	0,5

* Pour les clients NutriSimple

Préchauffer le four à 375 °F (190 °C).

Dans un bol, mélanger la purée, l'huile, le sucre, l'œuf et l'extrait de vanille.

Dans un second bol, combiner les ingrédients secs, sauf les amandes.

Incorporer les ingrédients secs au premier mélange. Ajouter les amandes.

Former des biscuits avec environ 1 c. à soupe de pâte et les déposer sur une plaque recouverte de papier parchemin.

Presser les biscuits au centre à l'aide du pouce pour les aplatir un peu.

Cuire au centre du four 7 à 10 min ou jusqu'à ce que les biscuits soient fermes et que le dessus soit légèrement doré.

BISCUITS DOUBLE CHOCOLAT

—·)I(·—

*Une belle gâterie pleine de fibres qui vous bouchera un coin
tout en satisfaisant votre dent sucrée chocolatée.*

32 biscuits

½ **tasse** de purée d'aubergine
(utiliser 1 aubergine moyenne)

½ **tasse** de purée de patate douce
(utiliser 1 patate douce moyenne)

1 **tasse** de courge spaghetti, cuite*

1 **c. à soupe** de margarine non hydrogénée

1 œuf

2 **c. à soupe** de sucre

2 **c. à soupe** de cassonade non tassée

1 **c. à thé** d'extrait de vanille

1 **tasse** de farine de blé entier
(ou farine mélangée sans gluten)

½ **c. à thé** de bicarbonate de soude

½ **c. à thé** de poudre à pâte

⅓ **tasse** de son de blé

¼ **tasse** de graines de lin moulues

¼ **tasse** d'amandes effilées

¼ **tasse** de pépites de chocolat blanc

¼ **tasse** de pépites de chocolat mi-sucré

* Piquer à la fourchette toute la surface de la courge.
Cuire au micro-ondes environ 4 min par lb/10 min
par kg. Épépiner puis gratter la chair à l'aide d'une
fourchette.

Préchauffer le four à 350 °F (175 °C).

Dans un bol, mélanger les purées, la courge, la margarine,
l'œuf, le sucre, la cassonade et la vanille.

Dans un second bol, mélanger la farine, le bicarbonate de
soude, la poudre à pâte, le son de blé et les graines de lin
moulues.

Incorporer les ingrédients secs à la préparation de légumes.

Ajouter les amandes et les pépites de chocolat.

Former des biscuits avec environ 1 c. à soupe de pâte et les
déposer sur une plaque recouverte de papier parchemin.

Cuire au centre du four 12 à 15 min.

VALEURS NUTRITIVES		Par portion
CALORIES	1920	60
LIPIDES (G)	83	3
GLUCIDES (G)	275	9
PROTÉINES (G)	51	2
FIBRES (G)	47	1
CALCIUM (MG)	703	22
FER (MG)	16	1
SODIUM (MG)	1196	37
PAS*	9,6	0,3

* Pour les clients NutriSimple

GALETTES CROUSTIGUMES

—◦)•(◦—

*Une galette complète qui comblera vos fringales
de mi-après-midi en un tour de main !*

MOT DE LA NUTRITIONNISTE

À une température fraîche et à
l'abri de l'humidité, en fonction de
la variété, les courges peuvent se
conserver jusqu'à 6 mois.

32 galettes

½ **tasse** de purée d'aubergine
(utiliser 1 petite aubergine)

¼ **tasse** de purée de patate douce
(utiliser environ ¾ tasse de patates douces, en dés)

1 **tasse** de courge spaghetti, cuite (voir p. 50)

1 **c. à soupe** de margarine non hydrogénée

2 **c. à soupe** de cassonade

2 **c. à soupe** de sucre

1 **c. à thé** d'extrait de vanille

1 œuf

1 **tasse** de farine de blé entier
(ou farine mélangée sans gluten)

½ **c. à thé** de bicarbonate de soude

½ **c. à thé** de poudre à pâte

1 **tasse** de gruau

⅓ **tasse** de son de blé

¼ **tasse** de graines de lin moulues

½ **tasse** d'amandes effilées

¼ **tasse** de pépites de chocolat blanc ou noir
(ou les deux !)

Préchauffer le four à 350 °F (175 °C).

Dans un grand bol, mélanger les purées, la courge, la margarine, la cassonade, le sucre, la vanille et l'œuf.

Dans un second bol, brasser la farine, le bicarbonate de soude, la poudre à pâte, le gruau, le son de blé et les graines de lin.

Ajouter les ingrédients secs au premier mélange et incorporer à l'aide d'une cuillère de bois ou d'une spatule.

Incorporer les amandes et les pépites de chocolat.

Diviser la pâte en 32 biscuits et les placer sur une plaque recouverte d'un papier parchemin. Aplatir légèrement chaque biscuit afin de former une galette pas trop mince.

Cuire au centre du four environ 10 min ou jusqu'à ce que les galettes soient dorées et craquantes.

VALEURS NUTRITIVES		Par portion
CALORIES	2191	68
LIPIDES (G)	92	3
GLUCIDES (G)	309	10
PROTÉINES (G)	66	2
FIBRES (G)	53	2
CALCIUM (MG)	464	19
FER (MG)	17	1
SODIUM (MG)	137	4
PAS*	12,7	0,4

* Pour les clients NutriSimple

BISCUITS FRIGO DATTES, MÉLASSE ET TOMATE

––––– ◦)(◦ –––––

J'adore avoir des biscuits prêts à cuire au congélateur, pour ces soirées de semaine où l'on n'a pas le temps de sortir tout le bataclan pour cuisiner.

36 biscuits

1 c. à **soupe** d'huile végétale

1 œuf

4 dattes, coupées en morceaux

6 c. à **soupe** de mélasse

¾ **tasse** de purée de tomate en conserve

2 ½ **tasses** de farine de blé entier
(ou farine mélangée sans gluten)

1 c. à **thé** de bicarbonate de soude

1 c. à **thé** de gingembre en poudre

1 c. à **thé** de cannelle

1 c. à **thé** de piment de la Jamaïque moulu (toute-épice)

¼ **tasse** de noix, hachées (facultatif)

Sucre à gros cristaux

Mélanger tous les ingrédients (sauf le sucre) afin de former une pâte.

Façonner la pâte en un billot d'environ 1 po de diamètre.

Rouler le billot de pâte dans le sucre et l'emballer dans de la pellicule plastique.

Placer au congélateur 12 h au minimum.

Au moment de cuire, couper en tranches de ¼ po d'épaisseur.

Préchauffer le four à 350 °F (175 °C).

Déposer les tranches sur un papier parchemin.

Cuire 8 à 10 min.

MOT DE LA NUTRITIONNISTE

Les produits allégés ne sont pas automatiquement plus intéressants que leur version originale. Toutefois, pour les conserves de légumes, opter pour celles sur lesquelles on mentionne une teneur réduite en sodium s'avère un très bon choix !

VALEURS NUTRITIVES		Par portion
CALORIES	2030	56
LIPIDES (G)	46	1
GLUCIDES (G)	377	10
PROTÉINES (G)	59	2
FIBRES (G)	49	1
CALCIUM (MG)	517	14
FER (MG)	25	1
SODIUM (MG)	1467	41
PAS*	18	0,5

* Pour les clients NutriSimple

SABLÉS QUIN-AUBERGINE

La texture du sablé et le petit croquant du quinoa se marient parfaitement.

36 biscuits

1 **tasse** de purée d'aubergine
(utiliser 2 aubergines moyennes)

½ **tasse** de purée de patate douce ou de carottes
(utiliser 1 patate douce moyenne ou 1 tasse de
carottes, en tranches)

¼ **tasse** de margarine non hydrogénée

½ **tasse** de sucre

1 **tasse** de quinoa, cuit et très bien égoutté

3 **tasses** de farine de blé entier
(ou farine mélangée sans gluten)

1 **tasse** de fécule de maïs

½ **tasse** de pépites de chocolat

½ **tasse** de pacanes grillées en morceaux

VALEURS NUTRITIVES		Par portion
CALORIES	4005	111
LIPIDES (G)	129	4
GLUCIDES (G)	680	19
PROTÉINES (G)	78	2
FIBRES (G)	74	2
CALCIUM (MG)	333	9
FER (MG)	30	1
SODIUM (MG)	756	21
PAS*	32	0,9

* Pour les clients NutriSimple

Préchauffer le four à 350 °F (175 °C).

Dans un bol, mélanger les purées, la margarine, le sucre et le quinoa.

Dans un second bol, combiner la farine et la fécule de maïs.

Incorporer les ingrédients secs au mélange de légumes.

Ajouter les pépites de chocolat et les pacanes.

Former des biscuits avec environ 1 c. à soupe de pâte et les déposer sur une plaque recouverte de papier parchemin.

Bien étendre la pâte afin de former des biscuits plats.

Cuire au centre du four 12 à 15 min ou jusqu'à ce que le dessus des sablés soit légèrement doré.

BISCUITS BONBONS LÉGUMES

Trop de bonbons à la maison ?
Voici la solution !

24 biscuits

1 tasse de purée de carottes
(utiliser 2 tasses de carottes, en tranches)

1 c. à soupe de margarine non hydrogénée

¼ **tasse** de cassonade

¼ **tasse** de sucre

2 œufs

1 c. à thé d'extrait de vanille

2 tasses de farine de blé entier

1 c. à thé de bicarbonate de soude

½ **tasse** de graines de lin moulues

⅔ **tasse** de morceaux de chocolat
(barre de chocolat coupée, morceaux de chocolat
de type Smarties ou M&M'S...)

½ **tasse** de pacanes, hachées (facultatif)

SAVIEZ-VOUS

que le bêta-carotène contenu
dans la carotte joue un rôle
au niveau de la qualité de la
vision... lorsqu'il fait noir ?

Préchauffer le four à 350 °F (175 °C).

Dans un grand bol, mélanger la purée de carottes, la margarine, la cassonade, le sucre, les œufs et la vanille.

Dans une tasse à mesurer ou un second bol, mettre la farine, le bicarbonate de soude et les graines de lin.

Ajouter les ingrédients secs au premier mélange. Bien incorporer.

Ajouter le chocolat et les pacanes, bien brasser.

Placer de bonnes cuillerées du mélange sur une plaque à biscuits recouverte de papier parchemin.

Cuire au four 10 à 12 min.

VALEURS NUTRITIVES		Par portion
CALORIES	2949	123
LIPIDES (G)	123	5
GLUCIDES (G)	417	17
PROTÉINES (G)	75	3
FIBRES (G)	68	3
CALCIUM (MG)	682	28
FER (MG)	20	1
SODIUM (MG)	1821	76
PAS*	19,8	0,8

* Pour les clients NutriSimple

SAVIEZ-VOUS

que l'huile de canola est celle qui résiste
le mieux à la chaleur de la poêle et à la cuisson
au four ? Elle conserve ses bons gras intacts, ce qui
permet d'en tirer profit pour notre santé cardio-
vasculaire. Les huiles d'olive et de noix sont plus
appropriées pour les vinaigrettes et les sauces.
Étant donné leur fragilité, elles doivent être
entreposées à l'abri de la lumière dans
une bouteille opaque.

BISCUITS CROQUE-CITRON-PANAIS

(SANS GLUTEN)

= ≡ -))(- ≡ =

Si on utilise la carotte râpée, pourquoi pas le panais ?
Voici un biscuit peu sucré parfait pour l'heure du thé.

24 biscuits

½ **tasse** de purée d'aubergine
(utiliser 1 aubergine moyenne)

1 **c. à soupe** d'huile de canola

2 **c. à soupe** de sucre

1 **c. à soupe** de miel

¼ **c. à thé** d'extrait de vanille

1 **c. à soupe** de zeste de citron

2 **c. à soupe** de zeste d'orange

1 ½ **tasse** de farine de maïs

¼ **c. à thé** de bicarbonate de soude

½ **tasse** de panais, râpé

VALEURS NUTRITIVES		Par portion
CALORIES	1065	44
LIPIDES (G)	22	1
GLUCIDES (G)	211	9
PROTÉINES (G)	15	1
FIBRES (G)	32	1
CALCIUM (MG)	74	3
FER (MG)	5	0
SODIUM (MG)	19	1
PAS*	10,2	0,4

* Pour les clients NutriSimple

Préchauffer le four à 350 °F (175 °C).

Dans un bol, mélanger la purée d'aubergine, l'huile, le sucre, le miel et la vanille.

Dans un autre bol, mélanger les zestes de citron et d'orange, la farine de maïs, le bicarbonate de soude et le panais râpé.

Incorporer le contenu du second bol au premier.

Former des biscuits avec environ 2 c. à soupe de pâte et les déposer sur une plaque recouverte de papier parchemin.

Bien étendre la pâte afin de former des biscuits plats.

Cuire au centre du four 12 à 15 min ou jusqu'à ce que le dessus des biscuits soit légèrement doré.

2

LÉGUMES
FESTIFS

BÛCHE DE NOËL CHOCO-BAILEYS

Célébrez les fêtes avec bon goût, mais en laissant de côté la culpabilité !

12 portions

GLAÇAGE

4 oz (120 g) de fromage à la crème léger

¼ tasse de purée de chou-fleur
(utiliser ¾ tasse de chou-fleur, en fleurettes)

¼ tasse de purée de patate douce
(utiliser ½ patate douce moyenne)

¼ c. à soupe de café soluble

½ tasse de sucre en poudre

½ c. à thé de Baileys

GÂTEAU ROULÉ

½ tasse de purée de betteraves
(utiliser 1 tasse de betteraves crues, en dés)

½ tasse de purée de pommes

1 œuf

1 c. à thé d'extrait de vanille

⅓ tasse de cassonade

1 ½ oz (45 g) de chocolat mi-sucré, fondu

⅓ tasse de margarine non hydrogénée

1 ½ c. à soupe de cacao

1 tasse de farine de blé entier

1 c. à thé de bicarbonate de soude

Préchauffer le four à 350 °F (175 °C).

GLAÇAGE

Mélanger tous les ingrédients à l'aide d'un batteur électrique.

Laisser refroidir au réfrigérateur pendant la préparation du gâteau.

GÂTEAU ROULÉ

Dans un bol, combiner les purées, l'œuf, la vanille, la cassonade, le chocolat fondu et la margarine.

Dans un second bol, mélanger les ingrédients secs restants, puis les incorporer au mélange de purées.

Graisser une plaque à biscuits de 9 × 13 po avec des rebords de ½ po. Recouvrir le fond de papier parchemin et y étendre la pâte.

Faire cuire 8 à 10 min ou jusqu'à ce que le dessus soit ferme.

Laisser tiédir mais pas refroidir complètement.

Étendre la moitié du glaçage sur le gâteau et le rouler à l'aide du papier parchemin afin de bien le tenir sans qu'il s'effrite.

Laisser le gâteau refroidir au réfrigérateur, recouvert d'une pellicule plastique, pendant quelques heures.

Glacer le gâteau et le décorer.

VALEURS NUTRITIVES		Par portion
CALORIES	2333	194
LIPIDES (G)	107	9
GLUCIDES (G)	312	26
PROTÉINES (G)	47	4
FIBRES (G)	30	3
CALCIUM (MG)	392	33
FER (MG)	14	1
SODIUM (MG)	2782	232
PAS*	15	1,2

* Pour les clients NutriSimple

GÂTEAU FORÊT-NOIRE

—))((—

Une version allégée et moins sucrée que la recette traditionnelle. Ne vous laissez pas décourager par la quantité d'étapes : ce gâteau est simple à réaliser et vous l'adorerez.

12 portions

GÂTEAU

1 **tasse** de purée de macédoine
(utiliser 2 tasses de macédoine surgelée)

¼ **tasse** de margarine non hydrogénée

2 **œufs**

1 **c. à thé** d'extrait de vanille

⅔ **tasse** de sucre

1 **c. à soupe** de café soluble

¾ **tasse** de cacao

1 ⅓ **tasse** de farine de blé entier

2 **c. à thé** de poudre à pâte

1 **c. à thé** de bicarbonate de soude

MÉLANGE AU CENTRE DU GÂTEAU

½ **tasse** de cerises séchées

½ **tasse** d'eau bouillante

1 **tasse** de purée d'aubergine
(utiliser 2 aubergines moyennes)

2 **c. à soupe** de miel

1 **c. à soupe** de kirsch

GLAÇAGE

1 ½ **tasse** de crème à fouetter

¼ **tasse** de sucre

DÉCORATION

Chocolat noir, râpé

Cerises au marasquin avec queues

GÂTEAU

Préchauffer le four à 350 °F (175 °C).

Dans un grand bol, mélanger la purée de légumes, la margarine, les œufs, la vanille et le sucre.

Dans un second bol, mélanger les ingrédients secs, puis les incorporer à la préparation de purée.

Bien graisser deux moules à gâteau ronds de 8 po. Recouvrir le fond de chacun de papier parchemin.

Répartir la pâte dans les moules préparés. Bien étendre le mélange.

Cuire environ 20 min ou jusqu'à ce que le dessus des gâteaux soit ferme et qu'un cure-dent inséré au centre en ressorte propre.

Laisser refroidir.

Couper les gâteaux afin de former 4 tranches rondes.

MÉLANGE AU CENTRE DU GÂTEAU

Placer les cerises dans l'eau bouillante quelques minutes afin de les réhydrater.

Mélanger la purée d'aubergine, le miel et le kirsch. Essorer les cerises et les ajouter au mélange.

Passer le tout au pied-mélangeur ou au robot culinaire afin de former une purée.

Séparer en trois et étendre entre les étages du gâteau.

GLAÇAGE

Fouetter la crème et le sucre jusqu'à ce que la crème forme des pics fermes.

Recouvrir le gâteau de glaçage et le décorer.

Conserver le gâteau au réfrigérateur.

VALEURS NUTRITIVES		Par portion
CALORIES	4500	375
LIPIDES (G)	242	20
GLUCIDES (G)	584	49
PROTÉINES (G)	80	7
FIBRES (G)	78	7
CALCIUM (MG)	977	81
FER (MG)	34	3
SODIUM (MG)	2996	250
PAS*	22,4	1,9

* Pour les clients NutriSimple

GÂTEAU POMME-CARAMEL

Ce gâteau est aussi impressionnant par sa beauté que par le nombre de légumes qu'il renferme !

12 portions

2 pommes, pelées et coupées en tranches fines

½ **tasse** de purée de panais
(utiliser environ 1 ½ gros panais)

½ **tasse** de purée d'aubergine
(utiliser 1 aubergine moyenne)

¼ **tasse** de purée de pommes

¼ **tasse** de sucre

¼ **tasse** de cassonade

2 œufs

1 **c. à thé** d'extrait de vanille

⅓ **tasse** de lait (ou boisson de soya)

1 ¾ **tasse** de farine de blé entier
(ou farine mélangée sans gluten)

3 **c. à soupe** de gingembre confit, haché

1 ½ **c. à thé** de cannelle

1 **c. à thé** de piment de la Jamaïque moulu (toute-épice)

1 **c. à thé** de bicarbonate de soude

CARAMEL

½ **tasse** de purée de courge butternut
(utiliser ½ courge moyenne)

¼ **tasse** de cassonade

VALEURS NUTRITIVES		Par portion
CALORIES	2011	168
LIPIDES (G)	18	2
GLUCIDES (G)	436	36
PROTÉINES (G)	52	4
FIBRES (G)	45	4
CALCIUM (MG)	537	45
FER (MG)	16	1
SODIUM (MG)	1538	128
PAS*	19	1,6

* Pour les clients NutriSimple

Préchauffer le four à 350 ºF (175 ºC).

Bien graisser un moule rond à charnière de 9 po et en couvrir le fond de papier parchemin. Placer les pommes dans le moule en un seul étage afin de former un joli motif. Réserver.

Dans un bol, combiner les purées, le sucre, la cassonade, les œufs, la vanille et le lait.

Dans un second bol, mélanger les ingrédients secs.

Incorporer les ingrédients secs au mélange de purées.

CARAMEL

Dans une casserole, mélanger la purée de courge et la cassonade.

Porter le tout à ébullition et faire cuire à feu doux environ 5 min.

Étendre le caramel sur les pommes dans le moule, puis verser le mélange de gâteau.

Placer le gâteau au centre du four. Cuire 40 min ou jusqu'à ce qu'un cure-dent inséré au centre en ressorte propre.

Laisser refroidir, puis renverser sur une assiette et retirer doucement le papier parchemin.

GÂTEAU DE CRÊPES

—·)|(·—

Une invention de ma fille Lily, qui adore les crêpes et a pensé en faire un gâteau,
avec des légumes, bien entendu !

8 à 10 portions

CRÊPES

1 tasse de carottes, râpées	
3 œufs	
¼ tasse de margarine non hydrogénée	
2 tasses de lait (ou boisson de soya)	
3 c. à soupe de sucre	
2 ½ tasses de farine de blé entier (ou farine mélangée sans gluten)	
1 c. à thé de bicarbonate de soude	
1 c. à thé de poudre à pâte	

GLAÇAGE

½ tasse de purée de patate douce (utiliser 1 patate douce moyenne)	
½ tasse de purée de courge musquée (utiliser ½ courge moyenne)	
4 oz (120 g) de chocolat non sucré, fondu	
⅓ tasse de sirop d'érable	

CRÊPES

Mélanger tous les ingrédients et bien battre afin qu'il n'y ait plus de grumeaux.

Faire chauffer une poêle antiadhésive à feu moyen-élevé. Verser environ un quart de la préparation dans la poêle quand celle-ci est bien chaude.

Cuire la crêpe jusqu'à ce que le dessus soit ferme. Attention de ne pas brûler le dessous ! Retourner la crêpe une fois afin de la cuire également.

Répéter la cuisson pour toutes les crêpes.

GLAÇAGE

Mélanger tous les ingrédients.

Étendre environ ⅓ tasse de glaçage sur chaque crêpe et superposer les crêpes afin de former un gâteau.

Glacer le dessus du gâteau de crêpes avec le glaçage restant.

Conserver au réfrigérateur.

VALEURS NUTRITIVES		Par portion
CALORIES	3340	371
LIPIDES (G)	113	13
GLUCIDES (G)	514	57
PROTÉINES (G)	94	10
FIBRES (G)	58	6
CALCIUM (MG)	1539	171
FER (MG)	22	2
SODIUM (MG)	2954	328
PAS*	24	2,7

* Pour les clients NutriSimple

CANNELÉS

Tellement chics, servis saupoudrés de sucre en poudre !
Personne ne pourra deviner que ces belles
petites gâteries cachent du chou.

24 cannelés

1 tasse de purée de chou
(utiliser 2 ⅓ tasses de chou, en dés)

1 tasse de purée de citrouille
(utiliser 2 tasses de citrouille, en dés)

2 œufs

2 jaunes d'œufs

1 c. à thé d'extrait de vanille

1 c. à soupe de rhum (ou de Baileys)

¾ tasse de farine de blé entier

½ tasse de sucre en poudre

¼ tasse de beurre, fondu et encore chaud

Préchauffer le four à 450 °F (230 °C).

Bien graisser des moules à cannelés (petit format).

Mélanger les purées, les œufs et les jaunes d'œufs, la vanille
et le rhum (ou le Baileys).

Incorporer la farine, le sucre en poudre puis le beurre fondu.

Verser la préparation immédiatement dans les moules en les
remplissant aux trois quarts.

Mettre au four 5 min.

Baisser la température du four à 350 °F (175 °C) et continuer
la cuisson 30 min ou jusqu'à ce que les cannelés soient fermes
et bien dorés.

SAVIEZ-VOUS

que la consommation
de citrouille permettrait de
réduire le risque de déve-
lopper certaines maladies
de l'œil ? Deux molécules
antioxydantes, la lutéine
et la zéaxanthine,
s'accumulent dans les
parois de l'œil et le
protègent ainsi contre
les facteurs de stress qui
pourraient causer des
dommages tels que la
dégénérescence maculaire
et la cataracte.

VALEURS NUTRITIVES		Par portion
CALORIES	1396	58
LIPIDES (G)	72	3
GLUCIDES (G)	151	6
PROTÉINES (G)	39	2
FIBRES (G)	20	1
CALCIUM (MG)	382	16
FER (MG)	10	0
SODIUM (MG)	214	9
PAS*	6,8	0,3

* Pour les clients NutriSimple

PANAFORTE AU PANAIS

═══════════ ·)(· ═══════════

Plus biscuit que gâteau, ce dessert italien classique se sert en pointe de tarte. Vous adorerez son petit côté épicé et son goût chocolaté.

10 portions

¼ **tasse** de purée d'épinards (utiliser 2 tasses d'épinards frais)

¼ **tasse** de purée de carottes
(utiliser ½ tasse de carottes, en tranches)

¼ **tasse** de panais, râpé

¾ **tasse** de farine de blé entier (ou farine mélangée sans gluten)

1 **c. à thé** de cannelle

½ **tasse** de cacao

¼ **tasse** de miel

¼ **tasse** de sucre

¼ **tasse** de noix, hachées

¼ **tasse** d'amandes moulues

¼ **tasse** de graines de lin moulues

2 **c. à soupe** de zeste d'orange

½ **c. à soupe** de café soluble

Préchauffer le four à 350 ºF (175 ºC).

Dans un bol, mélanger la purée d'épinards, la purée de carottes et le panais râpé.

Dans un second bol, combiner les autres ingrédients.

Incorporer le second mélange au premier.

Bien graisser un moule rond à charnière de 9 po et recouvrir le fond de papier parchemin.

Presser le mélange dans le moule.

Cuire au centre du four environ 20 min ou jusqu'à ce que le panaforte soit ferme et se décolle du bord du moule.

SAVIEZ-VOUS

que les gens qui sont allergiques à l'herbe à poux risquent une réaction immunitaire en consommant du panais cru (une forme d'allergie croisée) ? Si vous avez déjà mal réagi à ce légume et êtes allergique à l'herbe à poux, sachez que la cuisson du panais permet de dénaturer la protéine à laquelle vous réagissez et vous met ainsi à l'abri !

VALEURS NUTRITIVES		Par portion
CALORIES	2260	226
LIPIDES (G)	63	6
GLUCIDES (G)	441	44
PROTÉINES (G)	45	5
FIBRES (G)	48	5
CALCIUM (MG)	569	57
FER (MG)	21	2
SODIUM (MG)	147	15
PAS*	23	2,3

* Pour les clients NutriSimple

BRIOCHES À LA CANNELLE

J'ADORE les brioches à la cannelle, mais oh! le sucre et le gras qu'elles renferment…
Solution : brioches aux légumes !

12 portions

BRIOCHES

4 ½ **tasses** de farine de blé entier

2 **c. à thé** de levure

¼ **tasse** de sucre

2 **œufs**

1 **tasse** de purée de patate douce chaude
(utiliser 2 patates douces moyennes)

1 **tasse** de purée d'aubergine chaude
(utiliser 2 aubergines moyennes)

½ **tasse** de sucre

1 **c. à thé** de cannelle

GLAÇAGE

¼ **tasse** d'eau

1 **tasse** de sucre à glacer

VALEURS NUTRITIVES		Par portion
CALORIES	3449	287
LIPIDES (G)	22	2
GLUCIDES (G)	758	63
PROTÉINES (G)	100	8
FIBRES (G)	86	7
CALCIUM (MG)	378	32
FER (MG)	28	2
SODIUM (MG)	312	26
PAS*	39,6	3,3

* Pour les clients NutriSimple

BRIOCHES

Préchauffer le four à 350 ºF (175 ºC).

Mélanger la farine, la levure, le sucre et les œufs au mélangeur à l'aide du crochet à pâte ou à la main.

Ajouter les purées chaudes et pétrir jusqu'à consistance très lisse pendant 10 min.

Laisser doubler de volume dans un bol huilé recouvert d'un linge propre humide.

À l'aide d'un rouleau, étendre la pâte à environ 1 po d'épaisseur.

Mélanger le sucre et la cannelle et saupoudrer sur la pâte.

Rouler la pâte afin de former un billot et couper des tranches épaisses, puis disposer dans un moule rectangulaire de 8 × 13 po bien graissé.

Laisser doubler de volume encore une fois.

Cuire au four 20 à 30 min.

GLAÇAGE

Mélanger l'eau et le sucre. Verser dans une poche à pâtisserie ou un sac de plastique (couper le coin).

Décorer les brioches.

CLAFOUTIS AUX POMMES ET AU CÉLERI-RAVE

(SANS GLUTEN)

═══════════ ·)|(· ═══════════

Un dessert classique qui vous fera découvrir
le céleri-rave sous un tout nouveau jour !

8 portions

3 pommes, pelées, épépinées et coupées en tranches

¼ **tasse** de sirop d'érable

1 **tasse** de purée de céleri-rave
(utiliser 2 tasses de céleri-rave, en dés)

4 œufs

10 ½ **oz** (300 g) de tofu ferme

1 ½ **tasse** de lait de soya à la vanille

2 **c. à thé** d'extrait de vanille

1 **c. à soupe** d'huile de canola

½ **tasse** de farine de riz brun

1 **c. à thé** de bicarbonate de soude

1 **c. à thé** de fécule de maïs

Préchauffer le four à 350 °F (175 °C).

Dans un plat allant sur la cuisinière et au four de 8 ou 9 po, faire chauffer les pommes et le sirop environ 10 min à feu moyen sur la cuisinière jusqu'à ce que les pommes soient tendres et que le sirop commence à caraméliser (le liquide sera presque entièrement évaporé).

Retirer du feu et réserver.

Passer tous les autres ingrédients au robot culinaire ou au pied-mélangeur.

Verser le mélange sur les pommes caramélisées et mettre au four 30 min ou jusqu'à ce que le dessus du clafoutis soit ferme et légèrement grillé.

MOT DE LA NUTRITIONNISTE

D'où vient l'expression « une pomme par jour éloigne le docteur pour toujours » ? Le potentiel antioxydant d'une seule pomme est si puissant qu'il équivaut à celui de vingt oranges ! Ces bénéfices sont coupés de moitié si on enlève la pelure du fruit, d'où l'importance de ne pas peler la pomme pour profiter de toute cette richesse thérapeutique.

VALEURS NUTRITIVES		Par portion
CALORIES	1834	229
LIPIDES (G)	70	9
GLUCIDES (G)	223	28
PROTÉINES (G)	93	12
FIBRES (G)	17	2
CALCIUM (MG)	2816	352
FER (MG)	16	2
SODIUM (MG)	1934	242
PAS*	7,9	1

* Pour les clients NutriSimple

CARRÉS 4-C (SANS GLUTEN)

───── ·)((─────

J'adore le mélange citron-noix de coco. Le céleri-rave et la courge viennent bonifier le tout !

12 portions

CROÛTE

Zeste d'un citron

1 c. à thé d'extrait de vanille

¾ tasse de purée de céleri-rave
(utiliser 1 ½ tasse de céleri-rave, en dés)

2 c. à soupe de cassonade

2 c. à soupe d'huile de canola

1 tasse de farine de riz brun

1 tasse de farine de maïs ou de fécule de maïs

1 blanc d'œuf

GARNITURE

7 dattes

¼ tasse d'eau

Zeste d'un citron

1 c. à thé d'extrait de vanille

3 œufs

½ tasse de cassonade

¼ tasse de graines de lin moulues

1 tasse de noix de coco râpée non sucrée

1 tasse de courge spaghetti, cuite, bien essorée
et coupée en morceaux (grosseur d'un grain de riz)

1 tasse de noix, hachées

VALEURS NUTRITIVES		Par portion
CALORIES	3821	318
LIPIDES (G)	215	18
GLUCIDES (G)	434	36
PROTÉINES (G)	73	6
FIBRES (G)	72	6
CALCIUM (MG)	558	47
FER (MG)	20	2
SODIUM (MG)	519	43
PAS*	16	1,3

* Pour les clients NutriSimple

Préchauffer le four à 350 ºF (175 ºC).

CROÛTE

Graisser un moule carré de 8 po.

Mélanger tous les ingrédients.

Presser le mélange dans le moule.

Cuire 20 min ou jusqu'à ce que la croûte soit dorée et croustillante.

GARNITURE

Ajouter l'eau aux dattes et cuire au micro-ondes environ 2 min. Réduire les dattes en purée à l'aide d'une fourchette.

Mélanger la purée de dattes aux autres ingrédients.

Étendre sur la croûte tiédie.

Placer au centre du four et cuire 40 min ou jusqu'à ce que le dessus soit ferme et légèrement grillé.

TARTE DOUBLE CHOCO-PACANE

Un dessert « cochon » fait avec deux
de mes ingrédients préférés : avocat et aubergine !

8 portions

CROÛTE

1 avocat, en purée

1 ¾ **tasse** de chapelure de biscuits au chocolat
(de type Oreo)

3 **c. à soupe** de graines de lin moulues

2 **c. à soupe** d'amandes ou de pacanes moulues

GARNITURE

1 **tasse** de purée d'aubergine
(utiliser 2 aubergines moyennes)

2 œufs

¾ **tasse** de cassonade

2 **oz** (60 g) de chocolat mi-sucré, fondu

¼ **tasse** de miel

1 **c. à soupe** de cacao

1 **c. à thé** d'extrait de vanille

1 **tasse** de pacanes en moitiés

VALEURS NUTRITIVES		Par portion
CALORIES	3427	428
LIPIDES (G)	171	21
GLUCIDES (G)	437	55
PROTÉINES (G)	69	9
FIBRES (G)	56	7
CALCIUM (MG)	811	101
FER (MG)	23	3
SODIUM (MG)	1666	208
PAS*	21,1	2,6

* Pour les clients NutriSimple

Préchauffer le four à 350 ºF (175 ºC).

CROÛTE

Dans un grand bol, mélanger tous les ingrédients.

Presser la préparation dans une assiette à tarte de 8 po graissée.

Placer au centre du four et cuire 8 à 10 min ou jusqu'à ce que la croûte soit ferme et sèche.

GARNITURE

Mélanger tous les ingrédients dans un grand bol.

Verser dans la croûte cuite.

Placer au centre du four et cuire 40 à 50 min ou jusqu'à ce que la tarte soit ferme au centre.

GÂTEAU PLEIN DE LÉGUMES

Un excellent gâteau sans prétention mais plein de légumes et de fibres ! Facile à réaliser
et tout indiqué pour un soir de semaine ou pour un petit souper entre amis.

10 portions

GÂTEAU

½ **tasse** de purée d'aubergine
(utiliser 1 aubergine moyenne)

½ **tasse** de purée de courge
(utiliser ½ courge moyenne)

¼ **tasse** de purée de chou-fleur
(utiliser ¾ tasse de chou-fleur, en fleurettes)

2 **c. à soupe** d'huile de canola

⅔ **tasse** de cassonade non tassée

2 œufs

2 **c. à thé** d'extrait de vanille

2 **tasses** de farine de blé entier
(ou farine mélangée sans gluten)

1 **tasse** de quinoa, cuit et très bien égoutté

1 **c. à thé** de poudre à pâte

1 ½ **c. à thé** de bicarbonate de soude

¼ **tasse** de pépites de chocolat mi-sucré

GARNITURE

¼ **tasse** de pépites de chocolat mi-sucré

½ **tasse** d'amandes effilées

½ **tasse** de céréales en flocons (de type Bran Flakes)

GÂTEAU

Préchauffer le four à 350 ºF (175 ºC).

Mélanger tous les ingrédients dans un grand bol.

Graisser un moule carré de 8 po et y verser le mélange.

GARNITURE

Mélanger tous les ingrédients.

Saupoudrer la garniture sur la préparation pour gâteau.

Placer le gâteau au four et cuire 40 min ou jusqu'à ce qu'un cure-dent inséré au centre en ressorte propre.

VALEURS NUTRITIVES		Par portion
CALORIES	2456	246
LIPIDES (G)	65	7
GLUCIDES (G)	420	42
PROTÉINES (G)	66	7
FIBRES (G)	50	5
CALCIUM (MG)	505	51
FER (MG)	25	3
SODIUM (MG)	2449	245
PAS*	18,4	1,8

* Pour les clients NutriSimple

GÂTEAU AU CHOCOLAT D'ALEX (SANS GLUTEN)

Un beau et bon gâteau, sans gluten puisqu'il est sans farine, inventé pour la fête de mon fils William et spécialement pour son ami Alex, qui est intolérant au gluten.

8 à 10 portions

GÂTEAU

¼ **tasse** de purée de carottes
(utiliser ½ tasse de carottes, en tranches)

¼ **tasse** de purée de champignons blancs
(utiliser 1 ½ tasse de champignons, en dés)

1 **tasse** d'amandes moulues

¼ **tasse** de sucre

1 **c. à soupe** d'huile de canola

4 jaunes d'œufs

3 **oz** (90 g) de chocolat mi-sucré, fondu

3 **oz** (90 g) de chocolat non sucré, fondu

4 blancs d'œufs

GLAÇAGE

Voir recette « Glaçage éclair au chocolat », p. 116.

Préchauffer le four à 300 ºF (150 ºC).

Combiner les purées, les amandes, le sucre et l'huile avec les 4 jaunes d'œufs. Bien mélanger.

Incorporer le chocolat fondu.

Battre les blancs d'œufs jusqu'à ce qu'ils forment des pics fermes.

Incorporer délicatement les blancs d'œufs au mélange de purées et de chocolat en prenant soin de ne pas battre vigoureusement.

Verser dans un moule rond à charnière de 8 po graissé, fariné et tapissé de papier parchemin.

Faire cuire 45 min ou jusqu'à ce qu'un cure-dent inséré au centre du gâteau en ressorte propre.

Glacer lorsque bien refroidi.

VALEURS NUTRITIVES		Par portion
CALORIES	2451	272
LIPIDES (G)	180	20
GLUCIDES (G)	183	20
PROTÉINES (G)	72	8
FIBRES (G)	24	3
CALCIUM (MG)	665	74
FER (MG)	29	3
SODIUM (MG)	312	35
PAS*	7,6	0,8

* Pour les clients NutriSimple

SAVIEZ-VOUS

que la consommation de 7 œufs par
semaine a très peu d'incidence sur le taux
de cholestérol sanguin ? Chez une personne ne
souffrant pas de cholestérolémie, les œufs
font partie d'un régime alimentaire sain et
permettent de varier les sources de protéines.
Cette protéine est rapide à préparer,
peu coûteuse et très nutritive.

MOT DE LA NUTRITIONNISTE

Les fibres solubles jouent plusieurs rôles : elles améliorent la sensation du signal de satiété et la santé digestive, elles permettent de réduire le taux de cholestérol sanguin et de faciliter l'atteinte d'un poids santé. Dans cette recette, on trouve cinq sources de fibres solubles : les amandes, les graines de lin moulues, le gruau, les carottes et les patates douces.

VALEURS NUTRITIVES		Par portion
CALORIES	2839	355
LIPIDES (G)	195	24
GLUCIDES (G)	244	31
PROTÉINES (G)	55	7
FIBRES (G)	49	6
CALCIUM (MG)	750	94
FER (MG)	16	2
SODIUM (MG)	688	86
PAS*	6	0,7

* Pour les clients NutriSimple

TARTE CHOUCHOU COCO (SANS GLUTEN)

*Légère et surprenante, cette tarte deviendra
vite votre dessert chouchou… au chou !*

8 portions

CROÛTE

½ **tasse** d'amandes moulues

¼ **tasse** de cassonade

¼ **tasse** de graines de lin moulues

½ **tasse** de gruau

½ **tasse** de patates douces ou de carottes, râpées

2 **c. à soupe** de margarine non hydrogénée

GARNITURE

¾ **tasse** de purée de chou
(utiliser 1 ½ tasse de chou, en dés)

½ **tasse** de purée de patate douce
(utiliser 1 patate douce moyenne)

¼ **tasse** de lait (ou boisson de soya)

1 œuf

3 **c. à soupe** de sucre

2 **c. à soupe** de fécule de maïs

1 tasse + ½ **tasse** de noix de coco râpée grillée

½ **c. à thé** d'extrait de vanille

¼ **c. à thé** d'extrait d'amande

½ **tasse** de crème à fouetter

2 **c. à thé** de sucre

⅛ **tasse** d'essence d'amande

Préchauffer le four à 375 ºF (190 ºC).

CROÛTE

Dans un grand bol, mélanger tous les ingrédients.

Presser le mélange dans une assiette à tarte de 8 po graissée.

Placer au centre du four et cuire 12 à 15 min ou jusqu'à ce que la croûte soit ferme et légèrement grillée.

GARNITURE

Dans une casserole, mélanger les purées, le lait, l'œuf, le sucre et la fécule de maïs.

À feu moyen, cuire le mélange jusqu'à ce qu'il épaississe en brassant constamment afin que le fond ne brûle pas.

Retirer du feu et ajouter 1 tasse de noix de coco râpée grillée, la vanille et l'extrait d'amande.

Laisser tiédir, puis verser dans la croûte et placer au réfrigérateur.

Fouetter la crème, le sucre et l'essence d'amande jusqu'à ce que le mélange forme des pics fermes.

Étendre la crème fouettée sur la tarte refroidie.

Recouvrir du reste de noix de coco râpée grillée.

3

PAINS ET MUFFINS

PAIN CHOU-ETTE

*Un pain moitié chocolat, moitié vanille,
vraiment chouette puisqu'il cache très bien
le chou de Bruxelles qu'il contient.*

8 portions

1 tasse de purée de choux de Bruxelles (utiliser 2 tasses
de choux de Bruxelles surgelés, décongelés, non cuits)

¼ tasse de yogourt grec

½ tasse de cassonade

1 c. à soupe de margarine non hydrogénée

2 œufs

2 c. à thé d'extrait de vanille

1 ½ tasse de farine de blé entier
(ou farine mélangée sans gluten)

2 c. à thé de poudre à pâte

4 oz (120 g) de chocolat mi-sucré, fondu

Préchauffer le four à 350 °F (175 °C).

Mélanger la purée, le yogourt, la cassonade, la margarine, les
œufs, la vanille, la farine et la poudre à pâte.

Séparer le mélange en deux et réserver la moitié.

Incorporer le chocolat à la partie réservée.

Graisser un moule à pain de 8 × 4 po.

Déposer une couche de la préparation à la vanille au fond du
moule. Ajouter un étage de mélange au chocolat, puis couvrir
d'un étage de mélange à la vanille, et ainsi de suite jusqu'à ce
que tout soit dans le moule.

Cuire 45 min ou jusqu'à ce qu'un cure-dent inséré au centre du
pain en ressorte propre.

Attendre que le pain soit entièrement refroidi avant de couper
et de déguster. Il sera encore meilleur le lendemain !

MOT DE LA
NUTRITIONNISTE

Le yogourt grec est un
produit laitier auquel
on a retiré le petit-lait,
produisant un aliment plus
onctueux et plus riche en
protéines. Toutefois, un
élément reste à surveiller :
la quantité de sucre ajouté.
Pour 100 g de yogourt, on
recommande 5 g et moins
de sucre. Plusieurs marques
populaires en contiennent
au-delà de 15 g.

VALEURS NUTRITIVES		Par portion
CALORIES	2159	270
LIPIDES (G)	58	7
GLUCIDES (G)	362	45
PROTÉINES (G)	63	8
FIBRES (G)	45	6
CALCIUM (MG)	1207	151
FER (MG)	19	2
SODIUM (MG)	1135	142
PAS*	19	2,4

* Pour les clients NutriSimple

MOT DE LA NUTRITIONNISTE

La noix de Grenoble est la seule qui
contient, en plus des bons gras, des oméga-3,
reconnus entre autres pour l'amélioration de la
mémoire. Les amandes sont une source d'antioxydants
et ont également une teneur élevée en fibres. La graine
de citrouille, quant à elle, aide à la diminution du
cholestérol par son contenu en phytostérol,
molécule qui entre en compétition avec
le cholestérol alimentaire aux sites
d'absorption dans l'intestin.

PAIN AUX NOIX

Un pain riche en légumes et en bon goût ! Vous pouvez aussi le faire cuire en format muffins
(en prenant soin d'ajuster le temps de cuisson).

10 portions

½ **tasse** de purée de patate douce
  (utiliser 1 tasse de patates douces, en dés)

1 ½ **tasse** de purée d'aubergine
  (utiliser 2 aubergines moyennes)

½ **tasse** de patates douces, râpées

1 **c. à soupe** d'huile de canola

2 **c. à soupe** de cassonade

2 **c. à soupe** de miel

1 œuf

1 ½ **tasse** de farine de blé
  (ou farine mélangée sans gluten)

½ **tasse** de gruau

1 ¼ **c. à thé** de bicarbonate de soude

1 **c. à thé** de poudre à pâte

1 **c. à thé** de cannelle

¼ **tasse** de noix au choix, hachées

VALEURS NUTRITIVES		Par portion
CALORIES	1722	172
LIPIDES (G)	48	5
GLUCIDES (G)	300	30
PROTÉINES (G)	48	5
FIBRES (G)	44	4
CALCIUM (MG)	597	60
FER (MG)	15	2
SODIUM (MG)	2115	212
PAS*	12,8	1,3

* Pour les clients NutriSimple

Préchauffer le four à 350 ºF (175 ºC).

Dans un bol, mélanger les purées, la patate douce râpée, l'huile, la cassonade, le miel et l'œuf.

Dans un second bol, mélanger les ingrédients secs.

Incorporer les ingrédients secs au mélange de purées.

Graisser un moule à pain de 8 × 4 po et y verser le mélange. (Il est aussi possible de séparer la pâte en deux pour faire deux petits pains qui cuiront beaucoup plus rapidement.)

Cuire au centre du four 40 à 45 min (20 à 25 min pour deux petits pains) ou jusqu'à ce qu'un cure-dent inséré au centre du pain en ressorte propre.

BLONDIES AVOTROUILLE

*Parfaits pour l'Halloween. Faites des réserves de purée
de citrouille et régalez-vous toute l'année !*

24 blondies

¼ **tasse** de purée d'avocat
(utiliser environ ½ avocat mûr)

1 tasse de purée de citrouille
(utiliser 2 tasses de citrouille, en dés)

¼ **tasse** de margarine non hydrogénée

¼ **tasse** de sucre

1 œuf

1 c. à thé d'extrait de vanille

1 ⅓ tasse de farine de blé entier
(ou farine mélangée sans gluten)

½ **c. à soupe** de poudre à pâte

1 c. à thé de bicarbonate de soude

2 c. à soupe de pépites de caramel Skor

2 c. à soupe de pépites de chocolat

Préchauffer le four à 350 °F (175 °C).

Dans un grand bol, mélanger les purées, la margarine, le sucre,
l'œuf et la vanille.

Dans un second bol, combiner la farine, la poudre à pâte et le
bicarbonate de soude.

Ajouter le mélange de farine à la préparation de purées et bien
mélanger.

Incorporer les pépites de caramel et les pépites de chocolat.

Diviser la pâte dans des moules à muffins graissés.

Cuire au four 8 à 10 min ou jusqu'à ce que les blondies soient
légèrement dorés, fermes au toucher et qu'un cure-dent inséré
au centre en ressorte propre.

Attention, les blondies seront friables s'ils sont trop cuits !

VALEURS NUTRITIVES		Par portion
CALORIES	1661	69
LIPIDES (G)	78	3
GLUCIDES (G)	224	9
PROTÉINES (G)	34	1
FIBRES (G)	29	1
CALCIUM (MG)	680	28
FER (MG)	10	0
SODIUM (MG)	2585	108
PAS*	12	0,5

* Pour les clients NutriSimple

PAIN BANANERGINE

— ⋙⋘ —

Une de mes recettes préférées, idéale pour les collations. Un petit truc de ma maman, Andrée : une fois le pain cuit et refroidi, coupez-le en tranches et emballez-le en portions individuelles que vous congèlerez. Parfait pour la boîte à lunch !

10 portions

⅔ **tasse** de purée d'aubergine
(utiliser 1 grosse aubergine)

¼ **tasse** de sucre

1 **c. à soupe** d'huile de canola

1 œuf

2 bananes très mûres

2 **tasses** de farine de blé entier
(ou farine mélangée sans gluten)

1 **c. à thé** de poudre à pâte

1 **c. à thé** de bicarbonate de soude

1 **c. à thé** de cannelle

¼ **tasse** de pépites de chocolat

Préchauffer le four à 350 °F (175 °C).

Dans un bol, bien mélanger la purée, le sucre, l'huile, l'œuf et les bananes.

Dans un second bol, mélanger les ingrédients secs.

Incorporer les ingrédients secs dans le premier bol sans trop brasser.

Graisser un moule à pain de 8 × 4 po et y verser le mélange. (Il est aussi possible de séparer la pâte en deux pour faire deux petits pains qui cuiront beaucoup plus rapidement.)

Cuire au centre du four 40 à 45 min (20 à 25 min pour deux petits pains) ou jusqu'à ce qu'un cure-dent inséré au centre du pain en ressorte propre.

VALEURS NUTRITIVES		Par portion
CALORIES	1575	158
LIPIDES (G)	28	3
GLUCIDES (G)	311	31
PROTÉINES (G)	45	5
FIBRES (G)	41	4
CALCIUM (MG)	509	51
FER (MG)	13	1
SODIUM (MG)	1733	173
PAS*	13,6	1,4

* Pour les clients NutriSimple

POUDING TOUSKI AUX PETITS FRUITS

·)(·

Amateurs de petits fruits, voici votre nouveau dessert favori ! Le pouding touski a été inventé avec des restants de purées que nous voulions utiliser dans une recette simple. Ma fantastique pâtissière, Andréanne, qui adore les fruits, a tout de suite pensé à un pouding. Et voici le résultat !

8 portions

CONFITURE

1 **tasse** de bleuets

1 **tasse** de fraises

1 ½ **tasse** de purée d'aubergine
(utiliser 3 tasses d'aubergine, en dés)

4 **c. à soupe** de miel

PÂTE

1 ¼ **tasse** de purée de macédoine ou autres légumes surgelés (utiliser 2 ½ tasses de macédoine ou autre mélange de légumes surgelés)

1 **c. à soupe** de margarine non hydrogénée

2 **œufs**

⅓ **tasse** de sucre

2 **c. à thé** d'extrait de vanille

2 **tasses** de farine de blé entier
(ou farine mélangée sans gluten)

1 **c. à soupe** de poudre à pâte

VALEURS NUTRITIVES		Par portion
CALORIES	2229	279
LIPIDES (G)	29	4
GLUCIDES (G)	454	57
PROTÉINES (G)	66	8
FIBRES (G)	60	8
CALCIUM (MG)	1357	170
FER (MG)	19	2
SODIUM (MG)	1580	198
PAS*	17,8	2,2

* Pour les clients NutriSimple

Préchauffer le four à 350 ºF (175 ºC).

CONFITURE
Dans une casserole à feu moyen, réduire les ingrédients 3 à 5 min en brassant continuellement.

PÂTE
Mélanger la purée, la margarine, les œufs, le sucre et la vanille.

Ajouter la farine et la poudre à pâte et bien incorporer.

Verser la confiture dans un moule carré de 8 po graissé.

Étendre la pâte sur la confiture et bien répartir.

Placer au centre du four et cuire 30 à 35 min ou jusqu'à ce que le dessus soit doré et qu'un cure-dent inséré au centre de la pâte en ressorte propre.

BROWNIES CHOCO-MACÉDOINE

(SANS GLUTEN)

―――――― ·)(· ――――――

Je voulais absolument créer une recette de brownies sans gluten, simple et avec des ingrédients faciles à trouver. Voici le résultat fantastiquement chocolaté ! Attention, ils peuvent être friables s'ils sont trop cuits, mais ils seront quand même délicieux : servez-les alors en crumble sur du yogourt glacé à la vanille.

10 portions

¾ **tasse** de purée de macédoine
(utiliser 1 ½ tasse de macédoine surgelée)

3 **c. à soupe** d'huile de canola

¼ **tasse** de sucre

3 œufs

1 **c. à thé** d'extrait de vanille

6 **oz** (180 g) de chocolat non sucré, fondu

6 **oz** (180 g) de chocolat mi-sucré, fondu

¼ **tasse** de cacao

¼ **tasse** de fécule de maïs

¼ **tasse** de pépites de chocolat

Préchauffer le four à 350 ºF (175 ºC).

Dans un bol, bien mélanger la purée, l'huile, le sucre, les œufs, la vanille et le chocolat fondu.

Dans un second bol, combiner les ingrédients secs.

Incorporer les ingrédients secs au premier mélange sans trop brasser.

Graisser un moule à gâteau carré de 8 po et y verser la pâte.

Cuire au centre du four 35 à 40 min ou jusqu'à ce que le centre soit ferme.

VALEURS NUTRITIVES		Par portion
CALORIES	3149	315
LIPIDES (G)	208	21
GLUCIDES (G)	327	33
PROTÉINES (G)	63	6
FIBRES (G)	59	6
CALCIUM (MG)	426	43
FER (MG)	44	4
SODIUM (MG)	339	34
PAS*	15	1,5

* Pour les clients NutriSimple

MUFFINS FRAISICHOU

═══════════════ ⋙⋘ ═══════════════

*Le chou me semblait plutôt ordinaire comme légume.
Mais dans les desserts, il est fabuleux ! Peu coûteux,
il se marie à merveille avec la fraise. Voici une recette
inventée en collaboration avec Andréanne, ma pâtissière.*

12 muffins

½ **tasse** de purée de chou
   (utiliser 2 tasses de chou, coupé grossièrement)

⅔ **tasse** de purée d'aubergine (utiliser 1 petite aubergine, en dés)

¼ **tasse** de yogourt nature sans gras

¼ **tasse** de sucre

2 **c. à soupe** de cassonade

1 œuf

1 **c. à thé** d'extrait de vanille

2 ⅓ **tasses** de farine de blé entier

4 **c. à thé** de poudre à pâte

2 **tasses** de fraises fraîches ou surgelées

Préchauffer le four à 350 ºF (175 ºC).

Dans un bol, mélanger les purées, le yogourt, le sucre, la cassonade, l'œuf et la vanille.

Dans un second bol, mélanger la farine et la poudre à pâte.

Incorporer les ingrédients secs au mélange de purées.

Ajouter délicatement les fraises.

Graisser des moules à muffins ou utiliser des moules de papier.

Répartir la pâte dans les 12 moules.

Cuire au centre du four 20 à 25 min ou jusqu'à ce qu'un cure-dent inséré au centre d'un muffin en ressorte propre.

MOT DE LA NUTRITIONNISTE

Si l'on souhaite que le fer consommé soit mieux absorbé, il convient de le jumeler avec une source de vitamine C ; on pense souvent aux agrumes. Il y a parmi les ingrédients de cette recette d'autres sources de vitamine C non négligeables, mais moins connues : le chou et les fraises.

VALEURS NUTRITIVES		Par portion
CALORIES	1643	137
LIPIDES (G)	11	1
GLUCIDES (G)	356	30
PROTÉINES (G)	55	5
FIBRES (G)	48	4
CALCIUM (MG)	1789	149
FER (MG)	19	2
SODIUM (MG)	1657	138
PAS*	16,7	1,4

* Pour les clients NutriSimple

MOT DE LA NUTRITIONNISTE

Tout comme le quinoa, le sarrasin est un produit céréalier contenant des glucides lents, c'est-à-dire que même s'il s'agit d'un féculent, lors de sa consommation, la montée de la glycémie sera plus lente et ce sucre sera métabolisé autrement qu'en graisse viscérale. Il procure également une énergie de longue durée. Vous pouvez l'essayer sous forme de gruau, de flocons ou de farine.

VALEURS NUTRITIVES		Par portion
CALORIES	2874	240
LIPIDES (G)	97	8
GLUCIDES (G)	472	39
PROTÉINES (G)	62	5
FIBRES (G)	46	4
CALCIUM (MG)	1172	98
FER (MG)	23	2
SODIUM (MG)	3675	306
PAS*	5,8	0,5

* Pour les clients NutriSimple

MUFFINS PATANOIX

(SANS GLUTEN)

=== ·)(· ===

*J'adore les bananes et les noix ! Ces muffins sont parfaits pour les déjeuners sur le pouce
ou les collations avant d'aller faire l'épicerie (afin de ne pas être tenté d'acheter tout le magasin !).*

12 muffins

2 tasses de purée de patate douce
(utiliser 4 tasses de patates douces, en dés)

1 banane très mûre

2 c. à soupe d'huile de canola

¼ tasse de cassonade

3 c. à soupe de miel

2 œufs

1 c. à thé d'extrait de vanille

2 tasses de farine de sarrasin

2 c. à thé de poudre à pâte

2 c. à thé de bicarbonate de soude

1 c. à thé de cannelle

½ tasse de noix, hachées

¼ tasse de pépites de chocolat (facultatif)

Préchauffer le four à 350 ºF (175 ºC).

Dans un bol, mélanger la purée, la banane, l'huile, la cassonade, le miel, les œufs et la vanille.

Dans un second bol, combiner les ingrédients secs (sauf les noix et les pépites de chocolat).

Incorporer les ingrédients secs au mélange de purée.

Ajouter les noix hachées et les pépites de chocolat et bien brasser.

Graisser des moules à muffins ou utiliser des moules de papier.

Répartir la pâte dans les 12 moules.

Cuire au centre du four 20 à 25 min ou jusqu'à ce qu'un cure-dent inséré au centre d'un muffin en ressorte propre.

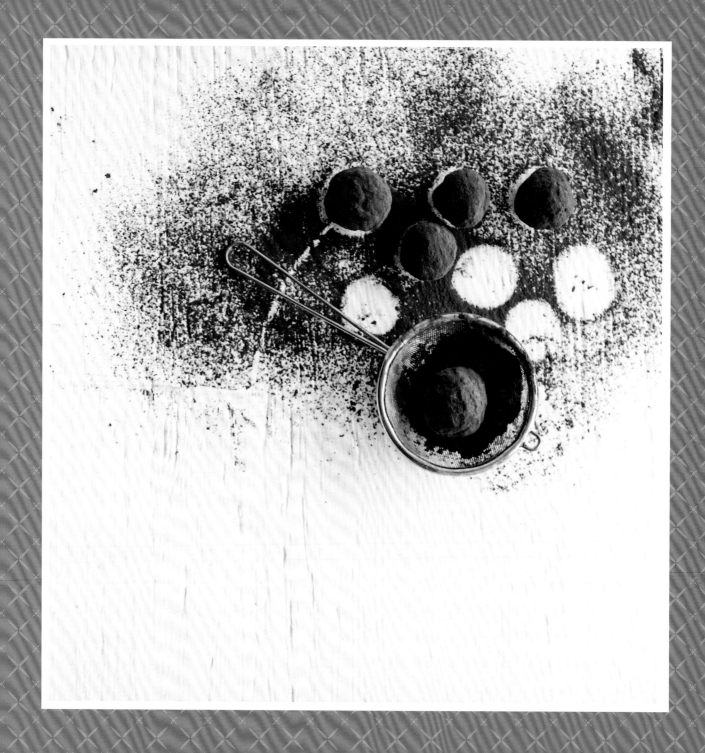

4

LES P'TITES VITES

CONFITURE DE PETITS FRUITS ET AUBERGINE

(SANS GLUTEN)

Les confitures du commerce sont très sucrées. Voici une confiture facile à faire et tellement délicieuse que vous ne voudrez plus vous en passer !

20 portions

3 tasses de fruits des champs au choix (framboises, bleuets et/ou fraises) frais ou surgelés

1 tasse de purée d'aubergine
(utiliser 1 petite aubergine)

⅓ tasse de miel

Mettre tous les ingrédients dans une casserole.

Chauffer à feu moyen sur la cuisinière et laisser réduire de moitié (environ 30 min).

Passer au pied-mélangeur ou au robot culinaire une fois cuit.

Si vous préférez une confiture très lisse, tamiser.

VALEURS NUTRITIVES		Par portion
CALORIES	728	36
LIPIDES (G)	3	0
GLUCIDES (G)	188	9
PROTÉINES (G)	8	0
FIBRES (G)	29	1
CALCIUM (MG)	158	8
FER (MG)	0	0
SODIUM (MG)	11	1
PAS*	4,3	0,2

* Pour les clients NutriSimple

ÉCORCES CROQUANTES
CHOCO-MENTHE VERTE

(SANS GLUTEN)

Dans ma jeunesse, ma gâterie préférée des fêtes était les fameux chocolats à la menthe en tranches fines dans leur petit papier individuel… Eh bien, voici ma version au brocoli !

8 portions

⅔ **tasse** de fleurettes de brocoli crues

8 dattes dénoyautées (environ ⅓ tasse)

2 **c. à soupe** d'eau

½ **tasse** de cacao

5 oz (140 g) de chocolat mi-sucré, fondu

¼ **c. à thé** d'extrait de menthe

DÉCORATION

1 oz (30 g) de chocolat mi-sucré, fondu

Passer les fleurettes de brocoli au robot ou au pied-mélangeur afin de les réduire en poudre. En réserver 1 c. à thé.

Mettre les dattes et l'eau dans une tasse allant au micro-ondes. Faire chauffer 2 min. À l'aide d'une fourchette, mélanger les dattes chaudes afin qu'elles forment une purée.

Incorporer tous les ingrédients restants.

Étendre le mélange sur une plaque à biscuits recouverte de papier parchemin.

Décorer à l'aide de chocolat fondu en traçant des lignes ou autres motifs. Saupoudrer de la cuillère à thé de brocoli réservée.

Laisser durcir au frigo quelques heures.

Casser en morceaux et servir froid.

VALEURS NUTRITIVES		Par portion
CALORIES	1245	156
LIPIDES (G)	54	7
GLUCIDES (G)	197	25
PROTÉINES (G)	20	3
FIBRES (G)	34	4
CALCIUM (MG)	175	22
FER (MG)	13	2
SODIUM (MG)	37	5
PAS*	7,3	0,9

* Pour les clients NutriSimple

MOT DE LA NUTRITIONNISTE

Il est faux de croire que si nous ne consommons pas de produits laitiers, nous pouvons combler nos besoins en calcium en mangeant uniquement du bro-coli. Le brocoli est certes une source de calcium, mais une portion de trois tiges et leurs fleurs en contient 45 mg, tandis que 1 tasse de lait en contient 300 mg. Le calcium végétal est également plus difficile à absorber, d'où l'importance d'aller le puiser dans une variété d'aliments : haricots blancs, chou, sésame, boisson végétale enrichie, etc.

VALEURS NUTRITIVES		Par portion
CALORIES	2093	174
LIPIDES (G)	99	8
GLUCIDES (G)	295	25
PROTÉINES (G)	52	4
FIBRES (G)	68	6
CALCIUM (MG)	319	27
FER (MG)	27	2
SODIUM (MG)	487	41
PAS*	11	0,9

* Pour les clients NutriSimple

TRUFFES AUX P'TITS POIS
(SANS GLUTEN)

-))((-

Voici un dessert vraiment impressionnant de par sa simplicité, mais surtout son bon goût ! De plus, il s'offre très bien en cadeau d'hôtesse dans une jolie petite boîte.

24 truffes

10 oz (280 g) de chocolat mi-sucré

1 tasse de purée de petits pois verts chaude
(utiliser 2 ½ tasses de petits pois verts surgelés)

½ **tasse** de cacao

1 c. à thé de café soluble

1 c. à soupe de margarine non hydrogénée

½ **tasse** de cacao ou de noix en poudre
(pour y rouler les truffes)

Faire fondre le chocolat au bain-marie ou au micro-ondes.

Ajouter la purée de petits pois chaude au chocolat fondu et bien mélanger.

Incorporer les autres ingrédients, sauf le reste du cacao ou les noix en poudre.

Laisser refroidir le mélange au frigo pendant quelques heures.

Former des boules d'environ 1 c. à soupe et les rouler dans le cacao ou les noix en poudre.

Les truffes se conservent 5 à 7 jours au réfrigérateur dans un contenant hermétique ou 1 mois au congélateur.

TARTINADE
CHOCO-SUCRÉE
(SANS GLUTEN)

=====•))((•=====

Belle collation pour les fêtes d'enfants ou comme petit dessert vite fait, bien fait ! Cette trempette remplace parfaitement le Nutella.

4 portions

¾ **tasse** de purée de patate douce
(utiliser 1 ½ patate douce moyenne)

½ **tasse** de pépites de chocolat mi-sucré

Mélanger les pépites à la purée et faire fondre le tout au micro-ondes ou sur la cuisinière, en brassant bien.

Conserver dans un contenant hermétique.

• 112 •

MOT DE LA NUTRITIONNISTE

Un déjeuner équilibré devrait toujours contenir une source de protéines (beurre de noix, œuf, produits laitiers ou substituts, viande, légumineuses, tofu), un fruit (frais, congelé ou en smoothie) et une source de glucides, facultative si la protéine en contient déjà (pains et céréales de grains entiers, produits laitiers ou substituts, légumineuses, patate douce).

VALEURS NUTRITIVES		Par portion
CALORIES	804	201
LIPIDES (G)	31	8
GLUCIDES (G)	123	31
PROTÉINES (G)	9	2
FIBRES (G)	14	4
CALCIUM (MG)	110	28
FER (MG)	5	1
SODIUM (MG)	74	19
PAS*	4,2	1

* Pour les clients NutriSimple

TARTINADE CHOUCHIDE

(SANS GLUTEN)

===== ✺ =====

*Vous adorez le beurre d'arachide mais voulez réduire
le gras tout en gardant le bon goût ? Sur des fruits,
du pain de blé entier ou un bâtonnet de céleri,
cette trempette vous comblera de bonheur !*

8 portions

⅓ **tasse** de purée de chou-fleur
(utiliser 1 tasse de chou-fleur, en fleurettes)

½ **tasse** de beurre d'arachide

Mélanger la purée et le beurre d'arachide. Faire fondre le tout
au micro-ondes ou sur la cuisinière, en brassant bien.
Conserver dans un contenant hermétique.

MOT DE LA NUTRITIONNISTE

Pour équilibrer le niveau
de sucre sanguin jusqu'au
prochain repas, une collation
idéale doit contenir des protéines et des fibres. Celles-ci
sont les meilleurs « coupe-
faim », puisqu'elles ont
la propriété de stabiliser
le taux de sucre sanguin
en faisant profiter le corps
de leur énergie sur
une plus longue durée.
C'est également une façon
d'éviter les rages de sucre !

VALEURS NUTRITIVES		Par portion
CALORIES	821	103
LIPIDES (G)	69	9
GLUCIDES (G)	30	4
PROTÉINES (G)	36	5
FIBRES (G)	10	1
CALCIUM (MG)	72	9
FER (MG)	3	0
SODIUM (MG)	36	5
PAS*	0	0

* Pour les clients NutriSimple

COCKTAIL ORANGE-CAROTTE
(SANS GLUTEN)

*C'est l'heure du 5 à 7 et non du dessert ?
On peut vraiment mettre des légumes partout,
même dans un cocktail !*

6 portions

1 tasse de jus de carotte

½ tasse de jus de canneberge

¾ tasse de jus d'orange

3 oz (95 ml) de vodka (facultatif)

Mélanger tous les ingrédients et servir très froid, décoré d'une belle carotte !

VALEURS NUTRITIVES		Par portion
CALORIES	248 (444)	41 (74)**
LIPIDES (G)	1 (1)	0 (0)
GLUCIDES (G)	59 (59)	10 (10)
PROTÉINES (G)	4 (4)	1 (1)
FIBRES (G)	3 (3)	1 (1)
CALCIUM (MG)	90 (90)	15 (15)
FER (MG)	2 (2)	0 (0)
SODIUM (MG)	77 (78)	13 (13)
PAS*	0 (3)	0 (0,5)

* Pour les clients NutriSimple
** Valeurs entre parenthèses : avec vodka

GLAÇAGE ÉCLAIR AU CHOCOLAT

(SANS GLUTEN)

===== ·)|(· =====

Un glaçage à gâteau chocolaté imbattable !
Prêt en quelques minutes, il rendra votre gâteau
encore meilleur, autant par son bon goût que
par la patate douce qu'il renferme.

16 portions

1 ½ tasse de purée de patate douce
(utiliser 1 patate douce moyenne)

1 tasse de pépites de chocolat mi-sucré

3 oz (90 g) de chocolat non sucré

Mettre tous les ingrédients dans un bol allant au micro-ondes.

Faire chauffer au micro-ondes environ 3 min ou jusqu'à ce que le chocolat soit fondu et se mélange aisément à la purée.

Laisser tiédir.

Étendre le glaçage tiède sur votre gâteau ou sur vos cupcakes.

VALEURS NUTRITIVES		Par portion
CALORIES	2050	128
LIPIDES (G)	108	7
GLUCIDES (G)	273	17
PROTÉINES (G)	29	2
FIBRES (G)	43	3
CALCIUM (MG)	308	19
FER (MG)	26	2
SODIUM (MG)	168	11
PAS*	9,2	0,6

* Pour les clients NutriSimple

FRAPPÉ SANTÉ PANORANGE

(SANS GLUTEN)

================ ·)(· ================

Une belle manière de démystifier le panais !

2 portions

⅓ **tasse** de yogourt à la vanille

⅓ **tasse** de purée de panais
(utiliser 2 ½ panais)

⅓ **tasse** de jus d'orange

2 **c. à soupe** de miel

Passer tous les ingrédients au robot culinaire ou au pied-mélangeur.

Ce frappé peut aussi être versé dans des moules à popsicles et placé au congélateur.

VALEURS NUTRITIVES		Par portion
CALORIES	282	141
LIPIDES (G)	1	1
GLUCIDES (G)	69	35
PROTÉINES (G)	6	3
FIBRES (G)	4	2
CALCIUM (MG)	172	86
FER (MG)	1	1
SODIUM (MG)	63	32
PAS*	2,1	1

* Pour les clients NutriSimple

POPS VITAMINÉS

(SANS GLUTEN)

======= ·)|(· =======

De belles friandises glacées qui feront le plaisir des petits et des grands lors des chaudes journées d'été.

6 portions

½ **tasse** de purée de patate douce
   (utiliser 1 petite patate douce)

½ **tasse** de jus de carotte

½ **tasse** de jus de canneberge

¾ **tasse** de jus d'orange

1 **c. à soupe** de miel

Combiner tous les ingrédients à l'aide d'un robot culinaire ou d'un pied-mélangeur.

Verser dans des moules à popsicles.

Congeler quelques heures jusqu'à ce que la préparation soit entièrement solide.

· 120 ·

MOT DE LA NUTRITIONNISTE

La mention « 100 % pur » indique qu'il n'y a pas de sucre ajouté dans le jus, qu'il soit fait ou non de concentré. Le terme « cocktail » permet au consommateur de savoir qu'il y aura davantage de sucre ajouté que dans le « jus ».

VALEURS NUTRITIVES		Par portion
CALORIES	395	66
LIPIDES (G)	1	0
GLUCIDES (G)	96	16
PROTÉINES (G)	6	1
FIBRES (G)	6	1
CALCIUM (MG)	108	18
FER (MG)	3	1
SODIUM (MG)	88	15
PAS*	0,8	0,1

* Pour les clients NutriSimple

❧ INDEX ❧

INDEX PAR LÉGUME

⚜ REMERCIEMENTS ⚜

Merci à mon conjoint et meilleur ami, Nicolas, pour son soutien constant et ses talents de goûteur. Merci à mes trois trésors, William, Lily et Rosie, pour leur patience et leur amour, à ma maman Andrée, mon frère Carl-Frédéric, ma belle-sœur Véronique et ma belle-maman Noëlla pour leur soutien. Merci à Andréanne Deschamps pour ses idées et son énergie, à Andréanne Martin pour son agréable compagnie et son travail analytique, ainsi qu'à mes amis pour leurs encouragements.

Merci à tous les clients et fans de Créations Les Gumes, qui ont fait de cette aventure un parcours fantastique !

– Annik

Pour mener à terme tous les projets qui animent la passionnée que je suis, il est essentiel d'être encouragée, aimée et soutenue. Je remercie avec beaucoup d'amour mes parents, mon conjoint et toute ma famille. Merci, chers amis et collègues, pour votre soutien, votre temps, vos sourires et votre présence.

Je tiens à remercier particulièrement ma merveilleuse équipe de nutritionnistes chez NutriSimple. C'est de cette belle synergie qu'émane notre réussite ! Un merci tout spécial à Anne-Marie Pelletier pour ses analyses et son amitié.

Finalement, merci à vous tous de nous faire confiance et d'accepter de cuisiner santé en notre compagnie tout en gâtant votre dent sucrée, qu'elle soit discrète ou bien prononcée !

– Andréanne

Cet ouvrage a été composé en Ernestine 8/12
et achevé d'imprimer en août 2013 en Chine.